W9-AYZ-453

Das Kochbuch aus München & Oberbayern

gesammelt, aufgeschrieben und ausprobiert von

Bernd Neuner-Duttenhofer

· überarbeitete Auflage ·

verlegt von
Wolfgang Hölker

ISBN 3-9800058-5-2
VVA 28000005
© Copyright 1976/L by Verlag Wolfgang Hölker
D-4400 Münster, Martinistraße 2
Alle Rechte vorbehalten, auch auszugsweise
Printed in Germany by Druckhaus Cramer, Greven
Imprimé en Allemagne
Buchbinderische Verarbeitung: Klemme und Bleimund, Bielefeld
Musterschutz angemeldet beim Amtsgericht Münster

Inhalt

Vorwort

Jede Landschaft hat eine bestimmte Küche. Die oberbayrische Landschaft ist geprägt von Hügeln, Bergen und Ebenen, von reichen Weiden, Wäldern und Feldern, durchzogen von Flüssen und Seen.

Ein verschwenderischer Reichtum an Milch, Rahm und Butter, Haustieren, Wild, Geflügel und Fischen, Pilzen, Beeren, Kräutern, Gemüsen und Getreiden hat eine vielfältige, oft mächtige Küche hervorgebracht, die dem arbeitsreichen ländlichen Leben entspricht.

In der Küche wie in der Kultur sind Einflüsse aus Tirol, Böhmen, Franken und Schwaben, vor allem aber aus Italien immer wieder spürbar.

Die barocke Lebenslust der Bayern drückt sich auch im Essen aus. Gastfreundschaft, ein voller Kalender kirchlicher Festtage und ganz allgemein Freude am Feiern prägen das kulinarische Leben.

München wird oft als Millionendorf bezeichnet – in der Küche findet sich Entsprechendes: Münchens Küche ist ländlich, sie geht nahtlos in der Küche Oberbayerns auf. Dennoch haben natürlich bürgerliche und adlige Haushalte, der Königliche Hof und Restaurants häufig ländliche Gerichte aufgegriffen und reicher ausgestattet. Oft wurden sie dadurch verfälscht, ihrer einfachen geschmacklichen »Richtigkeit« enthoben. Große Köche jedoch bewahrten die Grundlagen: Gerichte des Hofkochs Ludwig I., Rottenhöfer, und Rezepte von Alfred Walterspiel sind nicht selten ausgezeichnete Weiterentwicklungen oberbayrischer Küchentradition.

Bei allen ländlichen Küchen kommt es nicht auf die Raffinesse an, mit der die Gerichte ausgestattet sind, sondern auf die Qualität der verwendeten Produkte, ihre in langer Tradition gewachsenen Zusammenstellungen, auf das Wissen der Erfahrung – und auf die Sorgfalt und die Liebe, mit der gekocht wird.

Gerade das habe ich von meiner bayrischen Großmutter vermittelt bekommen. Viele der folgenden Rezepte stammen von ihr, die meisten Gerichte habe ich durch sie kennengelernt. Ich werde nie vergessen, wie ich als kleiner Bub zu ihr aufschaute, wenn sie in ihrer rundlichen Fülle am Herd stand und erzählte, was sie gerade machte. Es wurde probiert und genascht, ein Stück Wammerl oder ein Apfelschnitz fiel immer ab.

Und noch etwas ist geblieben: wenn ich daran denke, mit welcher Genauigkeit und Perfektion, welcher Sicherheit, aber auch welchem zeitlichen Aufwand meine Großmutter kochte, so scheint sie mir Zeugin einer vergangenen Zeit gewesen zu sein. Allerdings kochte sie für eine große Familie. Die Rezepte dieses Buches sind im allgemeinen auf 4 Personen abgestimmt.

Einen Teil dieser Vergangenheit zu bewahren, ist das Anliegen dieses Buches. Mögen manche Gerichte für unsere täglichen Gewohnheiten zu aufwendig, langwierig oder zu mächtig sein – sie alle sind ein Stück bayrischer Weltanschauung:

 Essen und Trinken halten Leib und Seel z'samm!

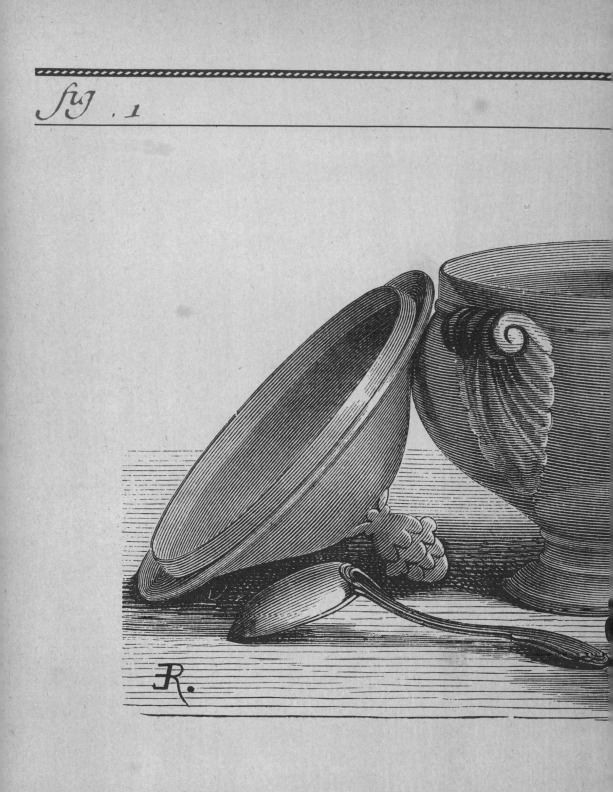

Suppen

C. LAPLANTE

Wie in ganz Süddeutschland, gehört auch in Oberbayern an den Anfang eines richtigen Essens eine Suppe.

Die meisten Suppen basieren auf Fleischbrühe, es gibt jedoch auch viele Einbrennen, die vor allem an Fasttagen gegessen werden.

Markknochen

Fleischbrühe

500 g Rindsknochen, 500 g Suppenfleisch, ¹/₂ Gelbe Rübe, ¹/₂ Stange Lauch, ¹/₄ Sellerieknolle, 1 Petersilienwurzel, 4 Petersilienstengel (entspricht 2 Bund Suppengrün), 1 Tomate, 1 Zwiebel, 1 Blatt Liebstöckl, Pfefferkörner, Salz

Die Rindsknochen, unter denen auch zwei Markknochen sein sollten, auf den Boden eines großen Topfes legen. Das Suppenfleisch (das nachher nicht mehr gegessen wird) mehrmals einschneiden und auf die Knochen legen. Das Suppengrün und die halbierte Tomate, Liebstöckl (Maggikraut), einige Pfefferkörner und Salz dazugeben und mit knapp 3 Liter kaltem Wasser aufgießen. Ohne Deckel langsam erhitzen, bis die Brühe zu kochen beginnt. Vom Feuer nehmen, die geschälte und halbierte Zwiebel auf die heiße Herdplatte legen und kräftig anrösten (gibt Aroma und Farbe), zu der Suppe geben und wieder aufkochen lassen. Dann bei schwacher Flamme mindestens drei Stunden zugedeckt sieden. Nicht abschäumen, denn durch das freiwerdende Eiweiß bleibt die Suppe klar. Jeweils das Nötige herausschöpfen und abseihen. In Bayern wird diese erste Brühe für den Sonntag bereitet. Die ganze Woche über wird auf das alte Fleisch und die jeweils verbleibende Brühe neues Wasser aufgegossen, auch anfallende Fleischreste werden zugefügt. Dadurch wird die Suppe zwar nicht besser, ist aber auch am Wochenende noch für Saucen oder für Einbrennen gut zu gebrauchen.

Frisch aus'm Goartn.

Suppengrün und Petersilie

Das »Suppengrün« besteht in Bayern aus Lauch, Sellerie, Gelber Rübe und Petersilienwurzel mit einigen grünen Stengeln. Ursprünglich gehört auch etwas Pastinakenwurzel dazu, die man aber heute nur noch selten findet. Freilich kommt in die Suppe auch Zwiebel und inzwischen Tomate, oft auch ein Liebstöckl-blatt – doch kauft man diese immer extra. Denn das Suppengrün bekommt man gebündelt in jedem Gemüseladen, jedem Super-markt und in jeder Metzgerei. Lebt man nicht in Bayern, muß man es selbst zusammenstellen oder sich im Herbst ein Suppen-grün »einmachen«.

Zu je einem Teil Lauch, Tomaten, Sellerie mit etwas Grün, Pe-tersilienwurzel mit Grün und Gelben Rüben durch den Fleisch-wolf drehen und mit einem weiteren Teil Salz umwenden. Über Nacht stehenlassen, nochmal gut durchrühren und in Gläser fül-len. Das Suppengrün hält sich, am besten kühl und dunkel ge-lagert, ein ganzes Jahr.

Petersilie ist immer glattblättrige Petersilie, das Grüne der Petersilienwurzel. Sie ist würziger als die krause Petersilie, die nur zur Dekoration und zum Ausbacken verwendet werden.

Leberknödelsuppe

4 alte Semmeln, ⅛ l lauwarme Milch, 250 g Rinds-leber, 1 Zwiebel, 1 Bund Petersilie, 30 g Butter, 2 Eier, Majoran, Pfeffer, Salz, 1 l Fleischbrühe, Schnittlauch

Semmeln in dünne Scheiben schneiden und mit der Milch über-gießen. Die Leber (oft nimmt man 200 g Leber und 50 g Milz) durch den Fleischwolf drehen. Zwiebel und Petersilie fein hak-ken und in der Butter etwas anlaufen lassen. Alles mit den Eiern zusammen zu einem Teig verarbeiten, mit den Gewürzen ab-schmecken, zu vier großen Knödeln formen und in der leise sie-denden Fleischbrühe gut 20 Minuten garen. Mit Schnittlauch be-streut servieren.

Als Vorspeis' (handwritten)

Milzsuppe

250 g Milz, 1 Zwiebel, 40 g Butter, 2 El Mehl, 1¼ l
Fleischbrühe, 1 Eßl. gehackte Petersilie, Pfeffer, Salz

Die Milz durch den Fleischwolf drehen (früher wurde sie ge-
schabt) und mit der fein gehackten Zwiebel in der Butter andünsten. Mit Mehl bestäuben, hellbraun werden lassen und mit der
Fleischbrühe langsam aufgießen. Gut durchrühren und 30 Minuten kochen lassen. Mit Petersilie, Pfeffer und Salz abschmecken.

Bratnockerlsuppe

30 g Butter, 40 g Semmelbrösel, 150 g Kalbsbrät,
1 Ei, je 1 Eßl. fein gehackte Petersilie und Zwiebel,
etwas geriebene Zitronenschale und Muskatnuß,
Pfeffer, Salz, 1 l Fleischbrühe, Schnittlauch

Die Butter etwas erwärmen und schaumig rühren; nach und nach
Semmelbrösel, Kalbsbrät, Ei und Gewürze hineinrühren und
wieder erkalten lassen. Mit einem nassen Teelöffel kleine Nok-
kerln ausstechen und in die leise kochende Fleischbrühe geben.
Etwa 12 Minuten darin lassen, mit Schnittlauch bestreut servieren.

Grießnockerlsuppe

40 g Butter, 60 g Hartweizengrieß, 1 Ei, Muskat-
nuß, Salz, 1½ l Fleischbrühe, Schnittlauch oder
Petersilie

Die Butter schaumig rühren, die übrigen Zutaten hineinarbei-
ten und den Teig etwas zum Quellen stehenlassen. Dann mit
einem Teelöffel kleine Nockerl ausstechen und für 25 Minuten
in die leise siedende Fleischbrühe geben. Grießnockerl quellen
stark, deshalb ist verhältnismäßig viel Flüssigkeit nötig. Mit
Schnittlauch oder Petersilie bestreut servieren.
Nimmt man speziellen »Nockerlgrieß«, so darf man den Teig
nicht zum Quellen stehenlassen.

Panadlsuppe

3 alte Semmeln, 1 Zwiebel, 40 g Butter, Pfeffer, Salz, 1¹/₄ l Fleischbrühe, 4 Eßl. saure Sahne, 1 Ei, Petersilie

Die Semmeln in Scheiben schneiden, kurz in Wasser tauchen und auf einer trockenen Unterlage durchziehen lassen. Mit der fein gehackten Zwiebel in der Butter andünsten und mit Fleischbrühe aufgießen. 5 Minuten kochen lassen und dann mit Pfeffer und Salz abschmecken. Zum Schluß das mit Sahne verkleperte Ei einrühren. Mit Petersilie bestreut servieren.

Brotsuppe

200 g alte Schwarzbrotreste (Roggen-Sauerteig-Brot!), 1¹/₄ l Fleischbrühe, 1 Zwiebel, 1 Bund Suppengrün, 30 g Schmalz, Salz, Pfeffer, 4 Eßl. saure Sahne, Schnittlauch

Alte, ganz ausgetrocknete Brotreste über Nacht in der Brühe einweichen. Am nächsten Tag das Brot in der Brühe vollends weichkochen und alles durch ein Sieb streichen. Zwiebel und Suppengrün durch den Fleischwolf drehen und im Schmalz anrösten. Dann mit der Suppe aufgießen und unter ständigem Rühren einige Minuten kochen lassen. Vorsicht, brennt leicht an! Im Teller mit der Sahne schnell verrühren und mit Schnittlauch bestreuen. Eine sehr übliche Einlage: 1 Scheibe Milzbrieswurst.

Kräutlsuppe

»Kräutl« nennen die Münchner liebevoll den Kerbel. Am Gründonnerstag findet man ihn in jedem Laden, denn für diesen Tag ist die Kräutlsuppe das traditionelle Mittagessen. Noch ist Fastenzeit, und so wird sie ohne Fleischbrühe zubereitet und auch nicht mit Rahm verfeinert – ansonsten ist beides erlaubt.

40 g Pflanzenfett, ¹/₂ Zwiebel, 2 Eßl. Mehl, 150 g Kerbel, 1¹/₄ l Wasser, Pfeffer, Salz

Im Fett die fein gehackte Zwiebel leicht anlaufen lassen, dann mit dem Mehl bestäuben, goldgelb rösten und ¹/₃ des fein gehackten, von den Stielen befreiten und gewaschenen Kerbels dazugeben. Mit Wasser aufgießen, glattrühren und etwa 30 Minuten köcheln lassen. Dann den Rest des Kerbels zufügen, nicht mehr kochen lassen und mit Pfeffer und Salz abschmecken. Man kann die Suppe mit Sahne, Ei oder auch einem Schuß Weißwein verbessern.

Am Sonntag Schwammerl suchn!

Schwammerlsuppe

Der Vorliebe der Bayern für Schwammerl wird noch ein eigenes Kapitel eingeräumt. Hier eine Suppe, die man im Spätsommer und im Herbst überall in Oberbayern findet.

> 40 g Butter, 1 Zwiebel, 300 g frische Mischpilze (Steinpilze, Maronen, Pfifferlinge, Täublinge und ähnliche Pilze), 2 Eßl. Mehl, 1 1/4 l Wasser oder Fleischbrühe, 4 Eßl. Rahm, 1 Eßl. Petersilie, Pfeffer, Salz

Die Schwammerl putzen, waschen, Röhren oder Lamellen entfernen und kleinschneiden. In der Butter die feingehackte Zwiebel und die Schwammerl anlaufen lassen. Wenn die meiste Flüssigkeit verdunstet ist, mit Mehl bestäuben, mit Wasser, besser Fleischbrühe aufgießen, glattrühren und gut 20 Minuten köcheln lassen. Mit Petersilie und Rahm verfeinern, pfeffern und salzen, zusätzlich mit Petersilie bestreut servieren.

Rumfordsuppe

Der Gründer des berühmten Englischen Gartens in München, Graf Rumford, hat diese inzwischen typisch münchnerische Suppe geradezu wissenschaftlich entwickelt, um armen Leuten preiswert eine rundum gesunde und sättigende Nahrung zu geben – da er sie umsonst verteilen ließ, bekam sie bald seinen Namen.

> 125 g getrocknete Erbsen, 1 1/2 l Wasser zum Einweichen, 80 g Speck, 1 Zwiebel, 2 Bund Suppengrün, 50 g Rollgerste, 1 große Kartoffel, Salz, Petersilie

14

Die gewaschenen Erbsen einweichen (möglichst kalkfreies Wasser nehmen!) und in diesem Wasser weichkochen. Den gewürfelten Speck in einem Topf auslassen und darin die gehackte Zwiebel, das zerkleinerte Suppengrün und die gewaschene und abgetropfte Rollgerste anbraten. Die Erbsen abtropfen lassen, mit dem Sud die Rollgerste aufgießen, etwas salzen und nach 15 Minuten die gewürfelte Kartoffel dazugeben. Inzwischen die Erbsen durch ein Sieb streichen, mit dieser Masse die Suppe andicken. Wenn die Kartoffeln gar sind, nochmals abschmecken und mit Petersilie bestreut servieren.

Krebssuppe

In Bayerns vielen Flüssen gab es einst so viele Krebse, daß sie eine echte Volksnahrung waren. Eine Seuche Anfang des Jahrhunderts und die zunehmende Wasserverschmutzung haben sie praktisch ausgerottet. Aus einer Vielzahl von Krebssuppenrezepten hier nur eins, das sich durch die (für Süddeutschland charakteristische) Verwendung von Zitronenschale und Mandeln auszeichnet.

15 Krebse, 125 g Butter, 1 kleine Zwiebel, 2 Eßl. Mehl, 1 1/4 l Wasser, 1 Teel. geriebene Zitronenschale, 75 g geschälte, fein geriebene Mandeln, Muskatnuß, Salz, 5 Eßl. Rahm, 2 Eidotter, Schnittlauch

Die gewaschenen Krebse in viel sprudelnd kochendem Salzwasser einige Minuten kochen, abschrecken und auslösen. Das Fleisch aus Scheren und Schwänzen (Darm abziehen) aufheben. Die Schalen und die Brustpanzer zerstoßen und in der Butter mit der gehackten Zwiebel 15 Minuten andünsten. Mit Mehl bestäuben, anlaufen lassen, mit Wasser aufgießen, 30 Minuten gut durchkochen lassen und durch ein feines Sieb abseihen. Kurz aufkochen lassen, mit Zitronenschale, Mandeln, Muskatnuß und Salz würzen und weitere 2 Minuten kochen lassen. Vom Feuer nehmen, mit dem mit Rahm verkleppertem Dotter legieren und über die in Tellern angerichteten, mit Schnittlauch bestreuten Krebsschwänze und Scheren gießen.

Biersuppe

2 Eidotter, 60 g Zucker, 1 Eßl. Maizena, ³/₄ l dunkles Bier, je 1 Stückchen Zitronenschale und Zimt, Pfeffer, Salz, 4 Eßl. Rahm

Die Dotter mit Zucker und Maizena dick schaumig schlagen und das erhitzte Bier nach und nach hineinrühren. Mit der Zitronenschale und etwas Zimt langsam unter ständigem Schlagen erhitzen, aber nicht kochen lassen. Mit wenig Pfeffer und Salz vorsichtig abschmecken. Wenn die Suppe stark aufgehend dick zu werden beginnt, vom Feuer nehmen und in Teller verteilen – erst zum Schluß in jeden Teller einen Löffel Rahm nur eben mit einer kurzen Drehung einziehen. Heiß oder kalt servieren.

Das schmeckt wirklich guat!

16

Notizen & weitere Rezepte:

fig. 2

Brotzeit! Zeit für etwas Brot ist in Bayern immer – Brotzeit kann man vormittags ebenso gut machen wie nachmittags, am Feierabend oder um Mitternacht. Brotzeit, das ist jede Mahlzeit zwischendurch, alles außer Frühstück, Mittag- und Abendessen – aber auch die können mal zur Brotzeit werden: zur Brotzeit ißt man »Schmankerl«. Ein Schmankerl, das ist eine Art Leckerbissen, etwas Kleines, aber Feines, das sich jeder leisten kann und warum nicht zu Mittag?

Das berühmteste Schmankerl ist die Weißwurst. Ursprünglich münchnerisch, ist sie heute in ganz Oberbayern zu finden – wenigstens vormittags, denn eine Weißwurst sollte, zumindest früher, kein Mittagsläuten hören.

Wenn man sie nicht kaufen kann, muß man sie eben selbst machen. Das ist aufwendig, aber die moderne Küchentechnik erlaubt es immerhin:

Münchner Weißwürste

(für etwa 20 Personen)

3 kg Kalbsbrät, 1 1/2 l Eiswasser, 70 g Salz, 250 g Wammerl (Schweinespeck), 500 g gekochter Kalbskopf und Schweinsschwarte, 1 große Zwiebel, 3 Bund Petersilie, 4 g weißen gemahlenen Pfeffer, 2 g Muskatblüte, 1 Prise Nelkenpulver, 4 g abgeriebene Zitronenschale, 6 m Schweinsdarm

Das vom Metzger bereits durchgedrehte Kalbsbrät mit Wasser und Salz im Mixer zu einer Paste zerkleinern. Das geht nur mit einem starken Mixer; jeweils nur eine Teilmenge in mehreren Arbeitsgängen verarbeiten und anschließend mit dem Handmixer gut zusammenmischen. Einen, besser zwei Tage zugedeckt im Kühlschrank zum Quellen stehenlassen. Dann den Speck, den Kalbskopf, die Schweinsschwarten, die Zwiebel und die Petersilie zwei oder dreimal durch den Fleischwolf drehen, mit den Gewürzen und dem Kalbsbrät gut verrühren (am besten wieder im Mixer) und mit einer Spritztüte oder einem großen Trichter in die beim Metzger gekauften Schweinsdärme füllen. Abdrehen (Weißwürste werden nicht abgebunden) und 20 Minuten in sehr

Beim Metzger bestellen

Din buft'n gibts im Hirschgartm!

heißem, aber nicht kochendem Wasser ziehen lassen. Man ißt sie mit süßem Weißwurstsenf und am besten mit Sauerteigsemmeln (»remische«, manchmal auch »römische« oder »riemische« genannt oder »Maurerloabe«).

Solche »frischen« Weißwürste sind besonders schmackhaft. Man bekommt sie heute nicht mehr zu kaufen, denn das Lebensmittelgesetz schreibt vor, daß die Weißwürste sofort nach der Herstellung gebrüht werden müssen; danach werden sie abgeschreckt und halten sich dann ohne weiteres einen ganzen Tag. Es ist also nicht mehr zu fürchten, daß sie nach einigen Stunden grau oder rötlich werden – wie früher, weshalb man sie bald (bis Mittag) essen mußte.

Stockwürste

Ähnlich wie Weißwürste, aber etwas kräftiger, da mehr Schweinefleisch verwendet wird. Die Zubereitung ist wie bei den Weißwürsten, in heißem Wasser aufwärmen und mit süßem Senf servieren.

Schweinswürstl

Eigentlich sind sie eine Nürnberger Spezialität – aber es gibt in Oberbayern schwerlich ein Gasthaus, das sie nicht anbietet! Am besten schmecken sie vom Holzkohlengrill, und zwar mit Buchenholzkohle geröstet. Doch auch vom normalen Grill sind sie ein Gedicht, aus der Pfanne jedoch eher enttäuschend (außer: gußeiserne Grillpfanne).

Leberkäs

Wörtlich nehmen darf man hier nichts. Im Münchner Leberkäs gibt es weder Leber noch Käs – will man Leberkäs mit Leber, so kauft man eben »Stuttgarter«, den es auch überall gibt. »Leber« soll von »Loabe« gleich Laib kommen, und diese Laiber sollen eben die Form von Käse gehabt haben.

21

Leberkäs ißt man in München meist warm (in jeder Metzgerei ab einer bestimmten Uhrzeit zu haben), selten kalt als Brotzeit, abgebräunt (gebraten) mit oder ohne Spiegelei als Hauptmahlzeit.

Für etwa 15 bis 20 Personen:

3 kg mageres Rindfleisch, 500 g Schweinehals, 250 g fettes Wammerl mit Schwarte, 1 Zwiebel, 80 g Salz, 8 g gemahlener weißer Pfeffer, 1 Eßl. Majoran, 2 zerdrückte Knoblauchzehen, etwas abgeriebene Zitronenschale, 1 1/2 l Wasser, 10 g Schweineschmalz

Wie bei den Weißwürsten das durchgedrehte Fleisch im Mixer mit Salz und Wasser portionsweise zu einem glatten, glänzenden Brei verarbeiten. Mit dem Handmixer die gesamte Masse gut zusammenrühren und zum Quellen kühlstellen. Mit geriebener Zwiebel und den anderen Gewürzen vermischen und in eine gefettete Kastenform füllen. Festdrücken und 1 1/2 bis 2 Stunden bei mittlerer Hitze backen. Entweder warm mit süßem Senf essen oder abkühlen lassen, in Scheiben schneiden und kalt oder abgebräunt verspeisen.

Frisch'n Ihnen einkaufen!

Tellerfleisch

750 g Rindfleisch (früher nahm man Ochsenfleisch) ohne Fett und ohne Sehnen – etwa Grat, Schulter oder Oberschale, Meerrettich oder scharfer Senf, Pfeffer, Salz, Majoran, Schnittlauch, Fleischbrühe

Das Rindfleisch in die kochende Brühe legen und gut weichkochen – es darf nicht zerfallen. In Scheiben schneiden, auf einem (Holz-)Teller anrichten, pfeffern, salzen, mit einer kleinen Prise fein zerriebenem Majoran und mit reichlich Schnittlauch bestreuen. Etwas Brühe darübergießen und dazu Meerrettich oder scharfen Senf und Brot essen.

Kronfleisch

So heißt in Bayern das Fleisch des Zwerchfells. Richtig zubereitet, ist es eine besondere Köstlichkeit.

750 g Kronfleisch, 1¼ l Fleischbrühe, 1 Bund Suppengrün, Pfeffer, Salz, Schnittlauch, frischer Meerrettich

Das Kronfleisch gut waschen und von allen Häuten befreien. In die kochende, mit weiterem Suppengrün aromatisierte Fleischbrühe legen und je nach Dicke 15 bis 20 Minuten leise sieden lassen. Das Fleisch muß in der Mitte noch rosa sein. In Scheiben schneiden und auf Holztellern anrichten. Leicht salzen und pfeffern, mit Schnittlauch bestreuen und ½ Suppenlöffel voll Fleischbrühe darübergießen. Mit frisch geriebenem Meerrettich und gutem Sauerteigbrot essen.

Knöcherlsulz

1 halber Kalbsfuß, 2 gespaltene Schweinsfüße, 2 Bund Suppengrün, 1 Zwiebel, 4 Eßl. Essig, 10 Pfefferkörner, 1 großes Lorbeerblatt, 2 Wacholderbeeren, 2 Nelken, Salz, Verzierung nach Belieben

Alle Zutaten mit 1½ l kaltem Wasser aufsetzen, zum Kochen bringen und mindestens 2 Stunden leise sieden lassen. Die Flüssigkeit durch ein Tuch abseihen und erkalten lassen. Sorgfältig entfetten und wieder aufkochen. Alle Haut- und Fleischteile von den Füßen entfernen und nicht zu fein hacken. Auf vier Teller verteilen, nach Belieben verzieren (Petersilienblätter, Tomaten- oder Eierscheiben, saure Gurke) und mit dem Sud begießen. Erstarren lassen und mit Röstkartoffeln servieren.

Saurer Preßsack

Je 4 Scheiben schwarzer und weißer Preßsack – ½ cm dick, 2 Zwiebeln, 2 Eßl. Essig, 3 Eßl. Öl, 1 Eßl. Wasser, Pfeffer, Salz

23

Die abgehäuteten Preßsackscheiben auf eine große Platte legen, mit hauchdünn gehobelten Zwiebelringen bestreuen und mit Essig und Öl begießen. Eine Viertelstunde ziehen lassen, dabei immer wieder begießen. Mit 1 Eßl. Wasser, frisch gemahlenem Pfeffer und Salz bestreuen, mit Schwarzbrot (Sauerteigbrot), Röstkartoffeln oder gerösteten Knödelscheiben essen.

Wurstsalat

600 g Lyoner (Fleischwurst, auch »Leoni« genannt), 2 Zwiebeln, 3 Eßl. Essig, 3 Eßl. Öl, 1 Eßl. Wasser, 1 gehäufter Eßl. gehackte Petersilie, Paprika, Pfeffer, Salz

Die Lyoner häuten, in dünne Scheiben schneiden und auf einer großen Platte anrichten. Mit fein gehobelten Zwiebelringen belegen und mit Paprika, Pfeffer und Salz bestreuen. Essig, Öl und Wasser vermischen, darübergießen und sofort servieren.

Bauernfrühstück

250 g gekochte Kartoffeln, 100 g rohes geräuchertes Wammerl, 1 kleine Zwiebel, 20 g Butter, 6 Eier, Salz, Pfeffer, 2 Eßl. Rahm, 2 Eßl. gehackte Petersilie

Kartoffeln in Scheiben, Wammerl und Zwiebel in Würfel schneiden und alles in etwas Butter leicht anrösten. Dann die mit den übrigen Zutaten verrührten Eier dazugeben und unter ständigem Rühren fest werden lassen. Mit einem frischem Salat begleiten.

Hat der Max für uns g'macht.

Tiroler Gröstl

300 g Bratenreste, 750 g gekochte Kartoffeln, 50 g rohes geräuchertes Wammerl, 2 große Zwiebeln, 50 g Schweineschmalz, 1 Prise Majoran, Pfeffer, Salz, gehackte Petersilie oder Schnittlauch

Bratenreste in Stückchen, Kartoffeln in Scheiben, Wammerl und Zwiebeln in Würfel schneiden. Das Wammerl in Schmalz etwas auslassen, dann Bratenstückchen, Zwiebeln und Kartoffeln dazugeben und alles etwas anrösten. Würzen, immer wieder wenden und mit reichlich Petersilie oder Schnittlauch bestreuen.

und a frische Maß dazu!

Radi

Der Münchner Bierrettich ist die einzige Rettichsorte, die wirklich »Radi« heißt. Radi, das leitet sich direkt ab von lateinisch »radix«, Wurzel.

Wie man den Radi ißt, darüber streiten sich selbst die Bayern. Allerdings darf er nicht mit einem Schneidrad geschnitten werden. Entweder schneidet man ihn längs in hauchdünne Scheiben oder man macht eine Ziehharmonika: dazu schneidet man ihn quer etwa $2/3$ durch in dünne Scheiben, dreht ihn um und schneidet ihn nun im Winkel von 45° wiederum $2/3$ durch in feine Scheiben. Die Schnitte müssen auf beiden Seiten ineinander gehen: dadurch kann man ihn auseinanderziehen und bequem salzen. Denn das ist wichtig: der Radi muß »weinen«, damit er mild und würzig wird. Man nimmt entweder normales, geräuchertes oder gepfeffertes Salz. Dazu ißt man Brot und am besten auch einen Käse.

Käse

Jeder Käs ist Brotzeitkäs. Besonders aber ein »Backstoakas«, Limburger oder Romadur, familiär »Gstingada« genannt. In Andechs und Schäftlarn etwa gibt es ihn als Klosterkäse. Er kann manchen verjagen und manchen begeistern. Man ißt ihn mit Butter, Brot und Selleriesalz.

Obatzta

»Baatz« bedeutet Lehm, Dreck. »Obatza« ist also ein wie Lehm gekneteter Käse.

250 g reifer Camembert, 75 g streichfähige Butter,

25

1 kleine, sehr fein gehackte (oder geriebene) Zwie-
bel, Paprika, Pfeffer, Salz, 2 Eßl. Bier

Den Käse mit einer Gabel zerdrücken und mit der Butter vermischen. Würzen und zum Schluß mit etwas Bier abschmecken. Oft wird der Käse mit Kümmel oder auch Petersilie gewürzt. Obatzta schmeckt am besten auf frischen Brezeln.
Eine Abwandlung ist Obatzta mit Doppelrahmfrischkäse. Statt Butter nimmt man dann zwei Eidotter.

Ammergauer Topfenratzl

250 g Topfen (Quark), Salz, Kümmel, 4 Eßl. saurer
Rahm, 2 Eßl. Enzian

Den Topfen 8 Tage in einer Schüssel an einem kühlen Ort stehenlassen, dann mit den übrigen Zutaten vermischen und »Ratzl« formen: kleine, oben abgerundete Kegel von etwa 3 cm Grunddurchmesser und 5 cm Höhe. Auf einen Teller setzen und an der frischen Luft im Schatten (offenes Fenster) trocknen lassen. Wenn sie runzlig und »baatzig« zu werden beginnen, sind sie fertig.

Heiße Maroni

Auch das sind eigentlich Schmankerl. Besonders, wenn man sie, wie in München, an kalten Tagen auf der Straße kaufen kann!

500 g Maroni (Eßkastanien), evtl. Salz, Butter

Die Maroni mit dem Messer kreuzweise einkerben und im Backofen, besser in einer dick mit Salz bestreuten Pfanne weichbakken. Nach Belieben mit Butter servieren.
Es gibt für Gasherde, für den Grill oder für offene Feuerstellen spezielle Maronipfannen mit großen Löchern, in denen sie besonders gut gelingen.

Eingesetzte Eier

Ludwigs Lieblingsessen!

8 Eier, 80 g Butter, 4 Eßl. saurer Rahm, Salz, Pfef-
fer, je 2 Eßl. gehackte Petersilie, Kerbel und Schnitt-
lauch

5 Eier hart kochen, noch heiß schälen und halbieren. Die Dotter mit 30 g Butter, 3 Eßl. saurem Rahm, Salz, Pfeffer und je
1 Eßl. Kräuter zerdrücken. Locker in eine gebutterte Form füllen und das gehackte Eiweiß darüberstreuen. Die anderen Eier
mit dem restlichen Rahm, der übrigen Butter (zerlassen) und
den Kräutern verrühren, würzen und über die harten Eier gießen. Im nicht zu heißen Ofen festwerden lassen – das ist mit
Salzkartoffeln und Kraut eine beliebte Fastenspeise.

Verlorene Eier auf Kräuterspinat

8 Eier, 750 g gemischte Frühjahrskräuter (Brunnen-
kresse, Spinat, Brennesseln, Taubnesseln, Sauer-
ampfer, Kerbel, Schafgarbe), 2 Eßl. Essig, 30 g
Butter, Muskatnuß, Pfeffer, Salz, Schnittlauch

Die Kräuter sorgfältig waschen, mit kochendem Wasser übergießen, damit sie zusammenfallen und in nicht zu feine Streifen
schneiden. Die Eier in leicht siedendes, gesalzenes und gesäuer-
tes Wasser schlagen und kurz poschieren, so daß die Dotter noch
ganz weich bleiben. Die Kräuter in der Suppe andünsten, mit
Muskatnuß, Pfeffer und Salz würzen und in eine flache, ofen-
feste Form füllen. Die Eier hineinsetzen und alles einige Minuten in den heißen Ofen stellen. Mit viel Schnittlauch bestreut
auftragen.

Zwiebeleier

1 Bund Frühjahrszwiebeln, 40 g Schweineschmalz,
6 Eier, 3 Eßl. Rahm, Pfeffer, Salz

Die Zwiebeln mit dem Lauch (Laub) waschen, gut abtropfen
lassen und in Streifen schneiden. Im Schweineschmalz bei kleiner
Hitze weichdünsten, die mit dem Rahm verrührten und mit Pfef-

fer und Salz gewürzten Eier dazugeben und unter häufigem Wenden fest werden lassen.

Kräuterpfannkuchen

200 g Mehl, 4 Eier, ¹/₄ l Milch, ¹/₄ l Wasser (besser geschmackloser Sprudel), etwas Salz, Butterschmalz, je 150 g gehackte Kräuter: Kerbel, Petersilie, Brunnenkresse, Spinat und Sauerampfer, 2 große Bund Schnittlauch oder 1 Bund Frühjahrszwiebeln, 20 g Butter, ¹/₈ l Milch, ¹/₈ l Rahm

Aus den angegebenen Zutaten einen lockeren Pfannkuchenteig rühren und im Butterschmalz nicht zu braune Pfannkuchen bakken. Die Kräuter waschen, überbrühen, abschrecken und hacken. Die Pfannkuchen ausbreiten, mit einer Schicht gemischter Kräuter bestreichen und zusammenrollen. In eine gebutterte Reine legen und 10 Minuten im vorgeheizten Ofen bei mittlerer Hitze überbacken. Dann den mit der Milch verrührten Rahm aufgießen und nochmal 15 Minuten gut durchbacken.

Duftig!

Notizen & weitere Rezepte:

fig. 3

A.J.AHBND.I.EB.

C.LAPLANTE.

Eine heute fast ausgestorbene Sitte war es in München, sich vor dem heimischen Essen beim Metzger oder an der nächsten Gaststätte das »Voressen« zu holen. Das war ein meist aus Innereien nach dem Schlachttag bereitetes Gericht, das ähnlich unseren Vorspeisen für Abwechslung sorgte. Im Großen zubereitet gelingt es meist besser als für die Familie. Heute allerdings kocht man sich diese Gerichte zu Hause, vor allem alte Leute hängen an ihnen. Längst sind sie nicht nur mehr Vorspeise, sondern Hauptgericht geworden. Auch ein Schmankerl können sie sein. Und, wie so oft, so ist auch hier das Billige keineswegs das Schlechte: in Bayern sind Innereien Spezialitäten.

Mamas Knödel-Rezept

Voressen

750 g Kalbskutteln (Gekröse), 6 Eßl. Essig, 40 g Schmalz, 1 Zwiebel, 2 Eßl. Mehl, 1 Eßl. Zitronensaft, Pfeffer, Salz, 1 Eßl. gehackte Petersilie

Die vom Metzger vorbereiteten Kutteln in Essigwasser (4 Eßl. Essig auf 1 l Wasser) weichkochen, abschrecken und in schmale Streifen schneiden. Die Butter zergehen lassen, die gehackte Zwiebel darin anbraten, mit Mehl bestäuben und bräunen lassen. Mit etwas Wasser aufgießen, mit Zitronensaft, Pfeffer und Salz würzen und nochmals mit etwas Essig säuerlich abschmecken. Die Kutteln darin aufwärmen, mit Petersilie bestreuen und mit Semmelknödeln servieren.

Saures Lüngerl

500 g Kalbslunge, 1/8 l Essig
Für den Sud: 2 l Wasser, 2 Bund Suppengrün, 2 Zwiebeln, 2 Lorbeerblätter, 2 Nelken, 2 Wacholderbeeren, 8 Pfefferkörner, 1 gehäufter Eßl. Salz, 4 Eßl. Essig
Für die Sauce: 40 g Fett, 2 Eßl. Mehl, 1 Eßl. Zitronensaft, Pfeffer, Salz

Den Sud zum Kochen bringen, die gewaschene Lunge hineingeben und etwa 1 Stunde darin kochen lassen. Abtropfen und abkühlen lassen, dann in feine Streifen schneiden, mit $^1/_2$ l Sud und $^1/_8$ l Essig begießen und 1 bis 2 Tage marinieren lassen. Aus den angegebenen Zutaten sowie der Lungenbrühe eine braune Einbrenne bereiten, die Lunge dazugeben und abschmecken. Mit Semmelknödeln servieren. (In Bayern kann man Lunge überall gekocht und geschnitten kaufen).

Hat uns bei Franz & Marion um bestn gschmeckt

Saure Nieren

500 g Schweinsnieren, $^1/_4$ l Milch, 1 Zwiebel, 50 g
Schmalz, 2 Eßl. Mehl, 4 Eßl. saurer Rahm, 1 Eßl.
Zitronensaft, je eine Prise Majoran und Thymian,
Pfeffer, Salz

Die Nieren (man kann natürlich auch Kalbs-, Rinds- oder Hammelnieren nehmen) sorgfältig waschen, häuten und halbieren. Fett, Sehnen und Häute aus dem Inneren entfernen und nochmals waschen. $^1/_2$ Stunde in Milch legen, dann abtrocknen und in feine Scheiben schneiden. Die fein geschnittene Zwiebel im Fett andünsten, die Nieren dazugeben und unter ständigem Wenden beinahe gar braten, bis kein Blut mehr austritt. Dann das Mehl darüberstäuben, etwas anlaufen lassen und mit Wasser aufgießen. Etwa 5 Minuten durchkochen, mit den übrigen Zutaten abschmecken und sofort servieren. Nicht zu lange kochen und auch nicht mehr stehenlassen, dadurch werden die Nieren hart.

Ebenso wird saure Leber zubereitet.

Euter gebacken

4 Scheiben gekochtes Euter (500 g), Pfeffer, Salz,
2 Eßl. Mehl, 1 Ei, 4 Eßl. Semmelbrösel, Fett zum
Ausbacken, Zitronen

In Bayern kann man in allen wirklich einheimischen Metzgereien gekochtes Euter kaufen (falls dies nicht der Fall ist, muß man das Euter selbst kochen: in Salzwasser mit Suppengrün das gewaschene und gewässerte Euter 2 Stunden kochen und im Sud

33

erkalten lassen). Es klingt auf Anhieb nicht besonders einladend, tatsächlich schmeckt Euter aber hervorragend.

Die nicht zu dicken Scheiben leicht pfeffern und salzen, mit Mehl, Ei und Semmelbrösel panieren und im Fettopf goldbraun backen. Mit Zitronenvierteln und Salat (am beliebtesten ist ein gemischter Kartoffel-Gurken-Salat) servieren.

Wollt i scho lang probiér'n

Kalbsbries

Kalbsbries wird als die feinste Innerei angesehen. Es gibt daher für diese Drüse, die nur die Kälber zur Milchverwertung besitzen, eine Vielzahl Rezepte, wobei neben der ländlichen Zubereitung des Backens (wie Euter und Kalbskopf) in den bürgerlichen und adeligen Häusern äußerst feine Zubereitungen entwickelt wurden. Hier ein Rezept, das in seiner Raffinesse auch von ähnlichen französischen Rezepten nicht übertroffen wird und das hervorragende Naturprodukte des Landes ausgezeichnet mit dem zarten Bries vermählt.

Feines bayrisches Kalbsbries

400 g Kalbsbries, 8 Krebse, 40 g Butter, 1/4 l Kalbfleischbrühe, 1 Zwiebel, 1 Eßl. Mehl, 15 g getrocknete Morcheln, etwas Zitronensaft, weißer Pfeffer, Salz, 2 Eßl. Rahm, 1 Eidotter

Das Kalbsbries in kaltem Wasser mindestens 2 Stunden wässern, dann 7 bis 8 Minuten in Salzwasser kochen, abkühlen lassen, häuten und in Würfel schneiden. Die gewaschenen Krebse in Salzwasser einige Minuten kochen, herausnehmen, abschrecken und Scheren und Schwänze auslösen. Die Panzer zerstampfen, in Butter gut anlaufen lassen und mit Kalbfleischbrühe aufgießen. Durch ein feines Sieb abseihen und abkühlen lassen. Die fest gewordene Krebsbutter abheben, in einer Kasserole zergehen lassen, die feingehackte Zwiebel darin glasig dünsten, mit Mehl bestäuben und gut verrühren. Nach und nach mit der Kalbfleisch-Krebs-Brühe aufgießen und einige Minuten gut durchkochen. Dann die eingeweichten und gehackten Morcheln zufügen, mit

34

Zitronensaft, Pfeffer und Salz abschmecken, die gehackten Krebsschwänze und -scheren zufügen und noch 3 Minuten kochen lassen. Vom Feuer nehmen und mit dem mit dem Rahm verklepperten Dotter legieren. Dazu nur Weißbrot oder etwas körnig gekochten Reis sowie einen trockenen Weißwein reichen.

Statt der Krebse können zur Vereinfachung Krebsbutter und Krabben (Garneelen) aus der Dose, statt Morcheln auch Champignons verwendet werden. Von der Raffinesse des Gerichtes geht dann aber viel verloren.

Hirn mit Ei

Das schmeckt!

1 Kalbshirn, Salz, 40 g Butter, 1 Zwiebel, Pfeffer,
1 Bund Petersilie, 3 Eier

Das Hirn in kaltem Wasser mindestens 2 Stunden wässern, mit kochendem Wasser übergießen, alle Häute, Adern und Blutgerinsel entfernen und 10 Minuten in stark gesalzenem Wasser kochen. Abschrecken, abtropfen lassen und grob hacken. In der Butter die gehackte Zwiebel anlaufen lassen und das Hirn dazugeben. Etwas mitdünsten, leicht salzen und pfeffern, mit der Hälfte der fein gehackten Petersilie bestreuen und die verquirlten Eier dazugeben. Unter ständigem Umwenden fest werden lassen und auf einer vorgewärmten Platte mit der restlichen Petersilie bestreut servieren. Als Beilage Brezeln und einen grünen Salat reichen.

Gedünstetes Kalbsherz

500 g Kalbsherz, 50 g fetter Speck, 20 g Butter,
1 Zwiebel, 4 geschälte und entkernte Tomaten (oder
2 Eßl. Tomatenmark), 3 Eßl. Weißwein, ¹/₈ l saurer
Rahm, 1 Eidotter, 1 Teel. Zitronensaft, 1 Prise
Basilikum, Pfeffer, Salz

Das Herz waschen, Adern und Häute entfernen und in große Würfel schneiden. Den gehackten Speck in der Butter auslassen, die Zwiebel darin andünsten, das Herz hinzugeben, anbraten und mit ½ Tasse Wasser aufgießen. Dann die in Würfel geschnittenen Tomaten (Tomatenmark) und den Weißwein zufügen. 30 Minuten zunächst zugedeckt, dann offen dünsten, vom Feuer nehmen und mit dem mit dem Rahm verkleppertem Dotter legieren. Mit den Gewürzen abschmecken und mit Reis oder Kartoffelpüree servieren.

Gebackener Kalbskopf

½ Kalbskopf, Salz, Pfeffer, 2 Eßl. Mehl, 1 Ei,
4 Eßl. Semmelbrösel, Fett zum Ausbacken, Zitro-
nenviertel, Petersilie
Für den Sud: 2 Bund Suppengrün, 1 Zwiebel,
1 Lorbeerblatt, 1 Prise Thymian, Pfefferkörner,
Salz

Den gut gewaschenen und gewässerten Kalbskopf in viel Salzwasser 5 Minuten kochen, abschrecken und waschen. Aus 3 l Wasser und den angegebenen Zutaten einen würzigen Sud herstellen, den Kalbskopf hineinlegen und 2 Stunden kochen. Das Fleisch sorgfältig vom Knochen lösen, zusammenrollen und festbinden oder beschweren. Abkühlen lassen, in Scheiben schneiden, panieren, in heißem Fett goldbraun backen und mit Zitronenvierteln und Petersilie anrichten. Dazu einen beliebigen Salat servieren.

Für Klaus! ## Gedünstete Kalbsleber

600 g Kalbsleber, 60 g Speck in Scheiben, 2 Zwie-
beln, 2 Eßl. Cognac, ¼ l Rotwein, 3 Wacholderbee-
ren, 3 Lorbeerblätter, 2 Nelken, 5 Pfefferkörner, je
eine gute Prise Thymian und Rosmarin, ½ Bund
Petersilie, ⅛ l süßer Rahm, 20 g Butter, 1 Teel.
Mehl, etwas Zitronensaft, Salz

Einen für den Backofen geeigneten Topf mit Speckscheiben und Zwiebeln auslegen und erhitzen, bis der Speck zu brutzeln beginnt. Mit Cognac aufgießen, flambieren und mit dem Wein ablöschen. Die gehäutete Leber im Ganzen hineinlegen und die

Gewürze zufügen. Zudecken, in den vorgewärmten Ofen stellen und bei gut 200° 40 Minuten dünsten lasse. Herausnehmen und die Leber warmstellen. Die Sauce mit dem Rahm anreichern und mit der mit dem Mehl verkneteten Butter verrühren. Einige Minuten gut durchkochen lassen, mit wenig Zitronensaft und Salz abschmecken und durch ein feines Sieb passieren. Die Leber in Scheiben schneiden, auf einer vorgewärmten Platte anrichten und mit der Sauce begießen.

Gegrillte Hasenleber

4 Hasenlebern, 30 g Butter, 50 g Speck in Scheiben,
2 Wacholderbeeren, 1 gute Prise Majoran, Pfeffer,
Salz, 1 Eßl. gehackte Petersilie

Die Hasenleber vorsichtig von der Galle befreien, abwaschen und sorgfältig trocknen. Mit etwas zerlassener Butter rundherum einstreichen, abwcchsclnd mit Speckscheiben auf einen Grillspieß stecken oder auf den gefetteten Rost legen. Die Gewürze zusammen im Mörser zu einem feinen Pulver zermahlen, zum Schluß die Petersilie untermischen. Die Leber damit bestreuen und bei mittelstarker Hitze unter öfterem Wenden vorsichtig gar – aber nicht hart – grillen.

fig. 4

Fische

Seen, Flüsse und Moore prägen die oberbayrische Landschaft.
Fische, Krebse, Frösche und Schnecken lebten hier einst wie im
Paradies. Umweltveränderungen haben schwere Schäden angerichtet. So sind die Saiblinge, auch »Schwarzritter« genannt,
ehemals der Stolz des Königssees, fast ausgestorben; der Spit-
zingseehecht, der allein den Ansprüchen der königlich-bayeri-
schen Tafel genügte, und der Isarhuchen haben Seltenheitswert;
die verheerenden Wirkungen der Krebspest zwingen uns, die
Tiere für teures Geld aus der Türkei zu importieren, und die
trockengelegten Moore bieten den Fröschen keinen Lebensraum
mehr. Dennoch gibt es immer noch viele Fische in Bayern, gezüchtete wie wilde – und noch immer spielen sie eine große
Rolle als Fastenspeise.

Saibling, Äsche und Bachforelle

Die drei zur Lachsfamilie gehörenden Fischarten sind zweifellos
die feinsten, die Bayerns Gewässer zu bieten haben. Jede Zubereitung soll ihren Geschmack so rein und zart wie möglich
hervorheben. Zuchtforellen (meist Regenbogenforellen, die
schneller als ebenfalls gezüchtete Bachforellen wachsen) schmek-
ken gegenüber wilden Forellen fad.

Man bereitet diese edlen Fische eigentlich nur auf zwei Arten zu:

A Wein paßt a dorzü!

Blau

*Pro Person 1 Portionsforelle oder 250 bis 300 g
rechnen, 1 Eßl. Essig
Pro Liter Sud: 1/2 Lorbeerblatt, 1/2 Zwiebel, 1 Gelbe
Rübe, 2 Stengel Petersilie, 6 Pfefferkörner, 1 Eßl.
Essig, 1 gehäufter Teel. Salz*

Je nach zu bereitender Fischmenge entsprechend viel Sud ansetzen und mindestens 1 Stunde kochen lassen. Mit dem Schaumlöffel alle Zutaten herausholen. Vom Feuer nehmen und die
ausgenommenen, gewaschenen, mit Essig vorsichtig eingerie-
nen Fische (die schleimige Haut darf nicht verletzt werden) hin-

eingleiten lassen. Nicht mehr kochen, die Fische nur ziehen lassen. Für Portionsforellen etwa 15 Minuten, für größere Fische entsprechend mehr rechnen. Das Fleisch muß jedenfalls fest bleiben, das Eiweiß darf nicht flockig und trocken sich abtrennen, die Muskelfasern dürfen im Fleisch nicht erkennbar werden. Der Bayer findet, daß ein Fisch zu gar ist, wenn sich Flossen leicht herausziehen lassen! Den wichtigen Moment davor zu erwischen, das ist hier die Kunst. Mit zerlassener Butter, Salzkartoffeln und Salat servieren.

Müllerin

2 große Fische, Mehl zum Bestäuben, 80 g Butter, Pfeffer, Salz, 1 Zitrone

Die Fische ausnehmen und sauber auswaschen. Innen leicht pfeffern und salzen. Ganz dünn mit Mehl bestäuben und in reichlich Butter goldbraun braten. Mit Zitronenschnittchen servieren.

Renke

Ebenfalls zur Familie der Lachsfische gehörend, ist sie in nahezu allen oberbayrischen Seen zuhause. Kenner behaupten, die Renken der verschiedenen Seen könne man am Geschmack klar auseinanderhalten. Wohl wegen der Nähe bevorzugt man in München diejenigen aus dem Starnberger See, doch sollen die feinsten aus dem Walchensee stammen. Man bereitet die Renken selten blau, meist gebraten oder auch gebacken zu – sie entfalten dann ihr kräftiges Aroma besser. Als Beilage ißt man Kartoffel- und gemischten Salat.

Aitel, Brachse, Rotauge (Plötze) und Nase

Diese Fische gehören zu der Familie der Karpfen, werden allgemein Weißfische genannt und sind in Bayern häufig und be-

41

liebt. Da sie sehr grätig sind, werden sie meist an den beiden Rückenseiten in kurzen Abständen eingeschnitten, damit man die Gräten beim Essen nicht spürt. Sie werden am Rost zubereitet – auf Volksfesten gibt es sie als Steckerlfisch (allerdings treten die Makrelen immer häufiger an ihre Stelle).

Weißfisch vom Rost

Je nach Größe 2 bis 4 Fische, Pfeffer, Salz, 4 Bund Petersilie, 1 Zitrone, 4 Zahnstocher, 40 g Butter

Die Fische ausnehmen, schuppen, waschen und abtrocknen. An den beiden Rückenseiten in kurzen Abständen Einschnitte machen, um die Gräten zu zerstören. Innen und außen mit Pfeffer und Salz einreiben. Mit viel Petersilie und je einigen Zitronenscheibchen füllen und mit Zahnstochern zustecken. Mit zerlassener Butter bestreichen und am Rost (Holzkohlen- oder elektrischer Grill) hellbraun und knusprig braten.

Gibt's a' oft im Biwegarten!

Steckerlfisch

Die wie oben beschrieben vorbereiteten Fische pfeffern und salzen, mit dem Kopf zuerst auf Holzstöcke spießen und diese Steckerln schräg in den Boden rammen, so daß die Fische am oberen Ende sich an bzw. über ein Feuer (Glut oder glühende Holzkohlen) neigen. Ab und zu wenden, damit sie auf allen Seiten rösch werden, nach Belieben mit Butter bestreichen.

Hecht

Am besten kommt der Geschmack von kleineren, zarten Hechten zur Geltung, wenn sie »blau« zubereitet werden (Seite 40). Größere Hechte werden gedämpft, gebraten oder als Pudding angerichtet (Seite 45).

Gespickter Hecht vom Rost

1 Hecht von gut 1 kg, 80 g Spickspeck, Pfeffer, Salz, 50 g Butter

Den Hecht ausnehmen, schuppen, waschen und abtrocknen. Den ganzen Rücken entlang auf beiden Seiten bis jeweils kurz über die Hälfte des Bauches mit feinen Speckstreifen spicken. Innen und außen reichlich pfeffern und salzen. Den Rost mit Butter einstreichen, auch den Hecht zusätzlich buttern und auf beiden Seiten recht schnell hellbraun braten. Mit einer Buttersauce, Kartoffeln und Salat servieren.

Man kann den Hecht auch füllen, besonders gut ist eine Füllung mit den in Oberbayern früher häufigen Morcheln, die vorher mit feingehackten Zwiebeln in Butter kurz gedünstet wurden.

Hechtenkraut

800 g Hecht, 20 g Butter, 2 große Zwiebeln, $^1/_2$ l Weißwein, 500 g Sauerkraut, 40 g Schweineschmalz, 1 Lorbeerblatt, 1 Kelle Fleischbrühe, 3 Eidotter, $^1/_4$ l süßer Rahm, $^1/_8$ l saurer Rahm, Muskatnuß, Pfeffer, Salz

Zunächst das Sauerkraut zubereiten: in Schweineschmalz andünsten, würzen und mit Fleischbrühe garen. Den geschuppten Hecht waschen und ihn in Scheiben schneiden. In einer feuerfesten Form die Butter zergehen lassen, die in dünne Ringe gehobelten Zwiebeln ausbreiten, die Hechtscheiben hineinlegen und mit Weißwein begießen. Gut zudecken und im heißen Ofen garen. Herausnehmen, häuten, das Fleisch in Stückchen zerteilen und entgräten. Das Sauerkraut in einer feuerfesten Form anrichten, mit Hechtfleisch und Zwiebeln bedecken und mit einer Sauce übergießen, die aus etwas Fischsud, Eidotter und Rahm schaumig geschlagen und mit Muskatnuß, Pfeffer und Salz abgeschmeckt wurde. In den Ofen stellen, fest und goldgelb werden lassen und mit Salzkartoffeln oder Schmalzgebackenem begleiten.

43

Schill

In anderen Gegenden als Zander oder Hechtbarsch bekannt, von den Ungarn als »Fogosch« besonders geschätzt, liebt der Schill sandige Flüsse und Seen. Er ist in Bayern ebenso beliebt wie der Hecht und wird wie er oft blau zubereitet oder gespickt.

Grüner Schill

1 großer Schill von etwa 1,2 kg
Für den Sud: 1 Eßl. Essig, ½ l trockener Weißwein,
¼ l Wasser, 1 Zwiebel, 15 weiße Pfefferkörner,
Salz
Für die Sauce: 5 Schalotten, 100 g Sauerampfer,
30 g Kerbel, 1 Bund Pimpinelle, 2 Bund Dill, 1
Zweig Estragon, 1 Bund Petersilie, 60 g Butter,
2 Teel. Mehl, ⅛ l süßer Rahm, 2 Eidotter, weißer
Pfeffer, Salz

Den Fischsud in einem Fischkochtopf aufsetzen und 20 Minuten gut durchkochen. Vom Feuer nehmen, den ausgenommenen, geschuppten und gewaschenen Schill hineinlegen, gut zudecken und wieder erhitzen. Den Schill 15 bis 20 Minuten ohne zu kochen im Sud und im Dampf ziehen lassen. Herausnehmen, häuten, die Flossen entfernen und im 130° warmem Ofen zugedeckt 20 Minuten weiter garen. Inzwischen den Sud durch ein Sieb gießen, mit einem Teig aus der Hälfte der Butter und dem Mehl verrühren und etwas einkochen. Die Schalotten und die gewaschenen Kräuter hacken und in der anderen Hälfte der Butter bei schwacher Hitze weichdünsten. Den nun etwas dicklich gewordenen Sud vom Feuer nehmen und mit den mit dem Rahm verklepperten Dottern verrühren. Die Kräuter hineinrühren, mit Pfeffer und Salz abschmecken, nochmals unter ständigem Schlagen erhitzen, bis die Sauce dicklich wird, aber nicht mehr kochen. Den Schill auf einer vorgewärmten Platte anrichten und mit der Sauce bedecken, dabei den unversehrten Kopf und den Schwanz freilassen. Mit Salzkartoffeln und einem zarten Gemüse servieren.

Anton Feyrer

Überbackener Schill

*1 kg Schill, 80 g Butter, 1 Zwiebel, Pfeffer, Salz,
1 kleine Prise Thymian, ¹/₂ Zitrone, 2 Eßl. trockener Weißwein, 2 Bund Petersilie, 100 g geriebener
Emmentaler, ³/₈ l süßer Rahm*

Den Schill in etwa 3 cm dicke Scheiben schneiden. Die Hälfte
der Butter in einer feuerfesten Form zergehen lassen, die feingehackte Zwiebel darin verteilen und die Fischscheiben eng nebeneinander hineinlegen. Mit Pfeffer, Salz und einer Spur Thymian würzen, mit etwas Zitronensaft und Weißwein beträufeln
und erst mit gehackter Petersilie, dann mit geriebenem Emmentaler bestreuen. Die übrige Butter in Flöckchen darauf verteilen
und zum Schluß mit dem Rahm begießen. Im heißen Ofen goldbraun backen.

Waller

Der Waller (Wels, Schaid) kommt in allen Donaunebenflüssen
noch recht häufig vor. Er schmeckt am besten blau und ist auch
kalt ausgezeichnet. Sein nahezu grätenloses Fleisch macht ihn
besonders beliebt, auch wenn sein Äußeres nicht sehr einneh-
mend ist. Gerne wird er in Bayern als Fischpudding zubereitet,
wozu man jedoch auch andere Fische nehmen kann.

Fischpudding mit Krebssauce

*1 kg Waller, ³/₈ l süßer Rahm, 1 Eiweiß, weißer
Pfeffer, Salz, etwas zerlassene Butter
Für die Sauce: 60 g Butter, 500 g Krebse, 1 Eßl.
Mehl, ¹/₄ l trockener Weißwein, ¹/₈ l süßer Rahm,
1 Eidotter, Pfeffer, Salz*

Das Wallerfleisch auslösen und mehrmals durch den Fleischwolf
drehen oder im Mixer pürieren. Den eiskalten Rahm und das
Eiweiß zufügen und mit dem Handmixer locker und schaumig
schlagen. Mit Pfeffer und Salz abschmecken, in eine gefettete
Form füllen und im Kühlschrank mindestens 1 Stunde ruhen

45

lassen. Dann ins Wasserbad stellen, zudecken und ohne zu kochen in einer knappen Stunde garen.

Inzwischen die Sauce bereiten: die Krebse in sprudelnd kochendem Salzwasser töten, abschrecken und auslösen. Die Schwänze beiseitestellen und die Schalen im Mörser zerstampfen. In der Butter anbraten und mit Wein aufgießen. Abseihen und abkühlen lassen. Die fest gewordene Butter abheben, mit dem Mehl verkneten, damit den erneut zum Kochen gebrachten Wein andicken und gut durchkochen. Den Dotter mit dem Rahm verkleppern und die vom Feuer genommene Sauce damit legieren. Die Krebsschwänze in Scheiben schneiden, in der Sauce erwärmen und alles mit Pfeffer und Salz abschmecken. Den Fischpudding auf eine vorgewärmte Platte stürzen und mit der Sauce begießen.

Rutte

Dieser häßliche, aber delikate Fisch, auch als Quappe, Aalraupe oder Trüsche bekannt, wird vor allem im Herbst und Winter noch häufig gefangen. Seine Leber gilt als besondere Delikatesse. Auch Rutten werden hauptsächlich blau zubereitet.

An Hinterburgner noch'm Wein fragʼn!

Rutten in Weißwein

2 größere oder 4 kleine Rutten, 80 g Butter, 8 gehackte Schalotten, 3 Eßl. gehackte Petersilie, 1 zerdrückte Knoblauchzehe, je eine gute Prise Basilikum und Thymian, 1 kleine Prise Majoran, etwas Muskatnuß, ¼ l trockener Weißwein, Pfeffer, Salz

Die Rutten ausnehmen (die Lebern aufbewahren) und waschen. In der Butter die Schalotten weichdämpfen, die Kräuter und Gewürze zufügen, mit Weißwein aufgießen, die Fische darauflegen, zudecken und je nach Größe in 15 bis 25 Minuten weichdämpfen.

Ruttenleber

2 bis 4 Ruttenlebern, 40 g Butter, 1 Messerspitze Thymian, Pfeffer, Salz, 1 Semmel, nach Belieben etwas Zitronensaft

Die gereinigten und getrockneten Lebern in sehr wenig Fett (sie geben selbst viel Fett ab) auf allen Seiten leicht und hellbraun braten, mit wenig Thymian, Pfeffer und Salz bestreuen und auf in Butter gerösteten Semmelscheiben anrichten. Nach Belieben mit Zitronensaft beträufeln.

Karpfen und Schleie

Beide Fische werden hauptsächlich blau zubereitet, allerdings wird der Sud für diese fetteren Fische etwas mehr gesäuert als für Forellen. Vor allem der Karpfen ist **das** oberbayrische Karfreitagsessen. Man reicht dazu zerlassene Butter, Kartoffeln und Salat.

Gründlinge

Diese kleinsten Fische aus der Familie der Karpfen sind in Bayern besonders beliebt. Sie werden im allgemeinen in Mehl gewendet und in Butter goldbraun gebraten. Am zartesten schmecken sie, wenn sie vorher lebend in Milch gelegt werden. Anschließend bestreut man sie mit gehackter Petersilie und beträufelt sie mit Zitronensaft.

Geräucherte Forellen und Renken

Besonders wenn sie über Buchenholz geräuchert werden, schmecken diese Fische ausgezeichnet. Sie werden mit in geschlagener Rahm verrührten, frisch geriebenem Meerrettich gegessen. Besonders delikat schmeckt dieser Rahm, wenn er leicht geeist wird.

Zum Schluß noch zwei Rezepte, die aus dem 1802 erschienenen »Baier'schen Kochbuch« der Johanna Maria Huberinn stammen und die beweisen, daß Froschschenkel und Schnecken nicht nur eine französische Spezialität waren. Schließlich galten sie trotz ihres Fleischcharakters als Fastenspeisen.

Froschschenkel

Wenn die Frösche geputzt sind, so salze sie ein, und wende sie gleich im Mehl um, auch Semmelbröseln darunter, und backe sie aus heissem Schmalz schön heraus. Oder mache einen fliessenden Teig von Eyern, Mehl und Milch, kehre die eingesalznen Frösche darinn um, und backe sie, wie gesagt, heraus. Bey dem Anrichten kann man sie mit in Butter angelaufenem Petersilkraut belegen.

Schnecken

Zu fünf und zwanzig Schnecken nehme eines Hühnerey groß Butter in ein Kasserol, röste etliche Löffel voll Mehl ganz weißgelb darinnen, mit heisser Fleischbrühe aufgefüllt, etwas fein gestossenen Majoran, nebst ein wenig Mußkatnuß dazu gethan. Wenn diese Brühe eine halbe Viertelstunde gekochet hat, thue die Schnecken darein, und lasse sie noch eine kleine Viertelstunde darinnen kochen; dann richte sie an.

Notizen & weitere Rezepte:

fig. 5

Den unvergleichlichen Geschmack bayrischer Wirtshausbraten wird man zu Hause nur schwer erhalten: dort braten nämlich die verschiedenen Fleischstücke (Rinderbraten, Schweinsbraten, Kalbsbraten und auch Geflügel) in derselben Reine und bilden eine gemeinsame Sauce. Diese Geschmacksverbindung kann man höchstens dadurch annähernd erzielen, daß man verschiedene Fette mischt oder etwa zu Kalbsbraten Schweineschmalz nimmt.

Haxn

Selbst in München kann man sich streiten, wie die Haxn am besten zubereitet werden: soll man sie erst kochen und dann braten oder soll man sie nur braten? Jede Methode hat ihre Anhänger; vielleicht ist die erste besser für Kalbshaxn, die zweite besser für Schweinshaxn geeignet.

Kalbshaxn

1 große Kalbshaxn, Salz, Pfefferkörner, 1 Lorbeerblatt, 1 Zitronenscheibe, 1 Bund Suppengrün, 2 Zwiebeln, 40 g Butter (oder Schweineschmalz), 1/8 l Bier

2 l Wasser mit reichlich Salz, einigen Pfefferkörnern, Lorbeerblättern, Zitronenscheibe, Suppengrün und 1 Zwiebel zum Kochen bringen. Die gehäutete Kalbshaxe hineinlegen und 1 Stunde kochen lassen. In einer Bratreine die Butter (Schweineschmalz zergehen lassen, die restlichen gehackten Gemüse hineingeben, die abgetropfte Haxe darauflegen, mit Fett beträufeln und mit 2 Suppenlöffeln vom Sud in den vorgewärmten Ofen schieben. Unter häufigem Begießen und Wenden 1 Stunde bei mittlerer Hitze knusprig braun backen. Die letzten 20 Minuten immer wieder mit etwas Bier begießen. Für die letzten 10 Minuten auch den Ofen etwas offenstehen lassen, damit die Kruste besonders »resch« wird.

Die besten Haxn'n gibt immer no der Burgbräu

Zur Haxe werden Knödel, Kartoffeln und grüner Salat und die abgeseihte, etwas entfettete, aber klare (ja nicht gebundene!) Brautensauce serviert.

Schweinshaxn

2 hintere Schweinshaxn, 2 Bund Suppengrün, 60 g
Schmalz, 1 Zwiebel, 1 Tomate, Pfeffer, Salz

In einer Reine das Schmalz zergehen lassen, das grob gehackte Suppengrün, die geviertelte Zwiebel und Tomate darin verteilen und die gut mit Pfeffer und Salz eingeriebenen Schweinshaxn darauflegen (die Schwarte am besten würfelig einschneiden). Bei mittlerer Hitze unter öfterem Wenden und Begießen – erst mit Wasser, später mit Bratenfond – etwa 2 Stunden rundum braun braten. Zum Schluß über der Reine auf den Rost legen und mit kaltem Salzwasser (oder Bier) begießen. Die Türe des Ofens etwas öffnen und die Haxn knusprig-trocken werden lassen.

Schweinsbraten

1,2 kg Schweinefleisch (vorzugsweise Hals oder
Schulter), 2 Bund Suppengrün, 1 Zwiebel, 1 To-
mate, 30 g Schweineschmalz, Pfeffer, Salz

In einer Bratreine das Fett auslassen, die gewürfelten Gemüse und das mit Pfeffer und Salz eingeriebene Schweinefleisch (falls mit Schwarte, diese in Karo- oder Rautenform einschneiden) hineinlegen und in den vorgewärmten, heißen Ofen schieben. Nach $1/2$ Stunde umwenden und die Temperatur auf mittlere Hitze absenken. Das Fleisch immer wieder (zunächst mit Wasser, dann mit Bratensauce) begießen. Etwa 2 bis $2 1/2$ Stunden braten, mit Salzwasser oder Bier begießen und bei etwas geöffneter Ofentür auf dem Rost trocknen lassen. Inzwischen die Sauce durch ein Sieb gießen, entfetten und abschmecken, aber nicht binden.

Spanferkel

Spanferkel wird ähnlich zubereitet wie Schweinsbraten, die Garzeit beträgt etwa ½ Stunde pro Pfund im heißen Ofen. Doch legt man es auf den Rost und begießt es mit dem Bratensaft, der vom Fleisch in die darunter aufgestellte, mit angebratenem Gemüse gefüllte Auffangschale tropft. Zum Schluß begießt man es mit etwas Bier. Spanferkel wird mit Kartoffelknödeln (Seite 96) und Speckkrautsalat (Seite 92) gegessen.

Surhaxl, Züngerl oder Wammerl im Kraut

Die Zubereitung ist einfach: das jeweilige Fleisch wird (gepfeffert und gesalzen) gemeinsam mit dem Kraut (Seite 84) gegart.

Guot für d' Gäst

Schlachtschüssel

Außerordentlich wichtig ist in Oberbayern die Schlachtplatte: keine namhafte Speisegaststätte (so heißt es in München), die sie nicht im Winter (manchmal auch im Sommer) einmal pro Woche anbietet.

> *1 kg Sauerkraut, 75 g Schweineschmalz, 1½ Lorbeerblätter, 4 Wacholderbeeren, ½ Zwiebel, Pfeffer, Salz*
> *300 g Schweineschulter, 300 g frisches Wammerl, je 4 Leber- und Blutwürste, 1 Schweinszüngerl*

Das Kraut mit den Zutaten und etwas Wasser aufsetzen, Schulter und Wammerl darauflegen, zudecken und mindestens 1 Stunde leise köcheln lassen. Das Züngerl in gesalzenem Essigwasser eine Stunde kochen, dann abziehen. Die Blut- und Leberwürste (an denen viel Majoran sein muß) in heißem Wasser 20 Minuten ziehen lassen. Das Kraut auf einer großen Schüssel anrichten, das in Stücke geschnittene Fleisch, das in Scheiben geschnittene Züngerl und die Würste darauflegen und mit Kartoffelpurée oder Fingernudeln (Seite 100) oder Salzkartoffeln auftragen.

Bifflamott

Bis in die letzte Zeit hinein gehörte dieses »Soßfleisch«, dessen seltsamer Name nichts anderes als eine Bajuwarisierung des französischen »Bœuf à la mode« ist, zu den beliebtesten ober-bayrischen Sonntagsgerichten. Mehr und mehr jedoch trat der einfachere Sauerbraten an seine Stelle.

2 kg gut abgehangenes Ochsenfleisch (Schwanz-stück, Mäuserl), 2 sehr große, fette Speckscheiben, 1 gespaltener Kalbsfuß, 50 g Butterschmalz (Schwei-neschmalz), 1 kg Gelbe Rüben, 1 kg kleine Zwie-beln, 2 Lorbeerblätter, Thymian, Rosmarin, Pfeffer, Salz, 1/2 l herber Weißwein, 1/2 l Fleischbrühe, 2 Bund Petersilie

Das Fleisch in einem großen, eisernen Topf auf allen Seiten in sehr heißem Schmalz kräftig anbraten. Herausnehmen und die geviertelten Zwiebeln hineingeben. Ebenfalls anbraten und wie-der herausnehmen. Das Schmalz abgießen und den Boden mit der einen Speckscheibe belegen. Das Fleisch darauf einrichten und an jede Seite eine Kalbsfußhälfte legen. Die Gemüse und die Gewürze (gut pfeffern und salzen) dazugeben und mit Wein und Fleischbrühe auffüllen; etwas hin- und herschütteln, daß die Gemüse gut einsacken; das Fleisch soll nicht ganz bedeckt sein. Mit der zweiten Speckscheibe abdecken, den Deckel, der dicht schließen muß, auflegen und mindestens 4 Stunden leise köchelnd garen. Das Fleisch herausnehmen, in dünne Scheiben schneiden, auf einer großen Platte anrichten und warm stellen. Die Kalbsfußhälften ausbeinen, das Fleisch in Würfel schneiden und wie die Gemüse rund um das Rindfleisch herumlegen. Alles reichlich mit Petersilie bestreuen. Die Sauce durch ein Sieb sei-hen, entfetten und zum Teil über das Fleisch gießen, zum an-deren Teil getrennt servieren. Als Beigabe sind Salzkartoffeln, Semmelknödel oder Schuchsen (Seite 108) beliebt.

Münchner Sauerbraten

Sauerbraten nie von einem zu kleinen Stück bereiten: 1,5 kg sollte er mindestens wiegen.

*1,5 kg mageres Rindfleisch (aus dem oberen Schle-
gel, in München Rose genannt), ¹/₂ l Wasser, ¹/₂ l
Weinessig, 1 große Zwiebel, 2 Bund Suppengrün,
1 Gelbe Rübe zusätzlich, 2 Lorbeerblätter, 4 Wacholderbeeren, 2 Nelken, je eine Prise Rosmarin
und Thymian, Pfeffer, Salz, 50 g Spickspeck, 40 g
Butter (Schweineschmalz), 1 Stück dunkle Sauer-
teigbrotrinde, ³/₈ l saurer Rahm, 1 Eßl. Mehl*

Essig und Wasser zusammen erhitzen, die gewürfelten Gemüse
und die Gewürze darin kurz aufwallen lassen. Lauwarm über
das in einen (irdenen) Topf gelegte Fleisch gießen, mit einem
Tuch zudecken und im Sommer 2 bis 3, im Winter 4 bis 5 Tage
an einen kühlen, aber nicht kalten Ort stellen. Dabei hin und
wieder umwenden. Herausnehmen, abtrocknen und mit in Pfeffer und Salz gewendetem Speck spicken. In Butter (Schweineschmalz) auf allen Seiten kräftig anbraten, 2 Suppenkellen der
Marinade und die abgetropften Gemüse und Gewürze zufügen,
vorsichtig salzen, eine Brotrinde in die Sauce legen und unter
häufigem Begießen bei mittlerer Hitze etwa 2 bis 2¹/₂ Stunden
braten. ¹/₂ Stunde vor Ende der Bratzeit ¹/₄ l sauren Rahm über
den Braten gießen. Ab jetzt häufiger begießen. ¹/₄ Stunde später
den Braten herausnehmen, auf den Rost legen und die Sauce
bereiten. Zunächst etwas entfetten, dann den restlichen Rahm
mit dem Mehl verschütteln, dazurühren und einige Zeit kochen
lassen. Die Sauce durch ein Sieb geben und auch die Gemüse
durchstreichen. Nochmals aufkochen lassen und über den in
Scheiben geschnittenen Braten gießen. Dazu eignet sich als Beigabe eine Salatplatte (Kartoffelsalat, Kopfsalat, Ranen und Sellerie).

Ochsenfleisch mit Ei

*300 g gekochtes Ochsenfleisch, 60 g Schweine-
schmalz, 2 Zwiebeln, 2 Eßl. gehackte Petersilie,
1 kleine Prise Majoran, Pfeffer, Salz, 6 Eier*

Das Ochsenfleisch in feine Scheibchen schneiden, mit den Zwiebeln in Schmalz etwas anbraten. Mit Petersilie bestreuen, würzen und mit den nur lose zusammengerührten Eiern begießen –

56

die Eier dürfen nicht wie zu Rührei richtig miteinander verrührt werden. Mit dem Bratenwender immer hineinstoßen, daß die Eier einerseits locker bleiben, sich andererseits auch mit den übrigen Zutaten vermischen. Sofort auftragen, wenn die Eier beginnen, fest zu werden. Im Sommer mit Kopfsalat, im Winter mit Nissl oder Endivien servieren.

Zwiebelfleisch mit Majoran

750 g mageres Rindfleisch, 50 g Schmalz, 500 g Zwiebeln, 1 Eßl. Majoran, 1 Knoblauchzehe, abgeriebene Zitronenschale, 1 Eßl. Essig, 1/4 l Fleischbrühe, Pfeffer, Salz, Petersilie

Das gewürfelte Fleisch in Schmalz auf allen Seiten bräunen, am besten in zwei Arbeitsgängen, damit das Fleisch nicht feucht wird. Herausnehmen und die gehackten Zwiebeln leicht anlaufen lassen, zerbröselten Majoran, gehackten Knoblauch und etwas abgeriebene Zitronenschale zufügen. Das Fleisch wieder hineingeben, erhitzen, mit Essig und der Fleischbrühe aufgießen, pfeffern, salzen und auf kleiner Flamme in knapp 2 Stunden langsam gar schmoren. Zum Schluß mit der gehackten Petersilie umwenden. Mit Kartoffelknödeln und Salat servieren.

Gulasch mit Dampfnudeln

Gulasch? Nicht bayrisch – aber mit Dampfnudeln!

750 g Rindfleisch für Gulasch, 50 g Schmalz, Pfeffer, Salz, 450 g Zwiebeln, 1/2 Knoblauchzehe, 3/4 l kochende Fleischbrühe, 6 Tomaten, 3 Paprikaschoten, 1 bis 2 Eßl. Tomatenmark, Paprika, nach Belieben 3 Eßl. saurer Rahm
Für die Dampfnudeln: 25 g Hefe, 1/4 l Milch, 500 g Mehl, 1 Ei, 50 g Butter, Salz

Das gewürfelte, gesalzene und gepfefferte Rindfleisch in Schmalz auf allen Seiten ganz kurz anbraten – in zwei Arbeitsgängen, damit sich kein Saft bildet. Die in Ringe geschnittenen Zwiebeln ebenfalls anbraten, die gehackte Knoblauchzehe dazugeben, das

Fleisch darauflegen und mit ⅛ l heißer Brühe aufgießen. Zudecken und eine halbe Stunde bei schwacher Hitze schmoren. Dann ¼ l Brühe zufügen, die gehäuteten (dazu mit kochendem Wasser begossenen), geachtelten und entkernten Tomaten und die entkernten und geschnitzelten Paprikaschoten zufügen und eine weitere Stunde schmoren. Die restliche Brühe aufgießen, mit Tomatenmark, Paprika und nach Belieben mit saurem Rahm würzen, die Sauce für die Dampfnudeln abnehmen und nochmals zugedeckt ½ Stunde köcheln lassen.

Währenddessen die auf Seite 104 angegebenen Dampfnudeln bereiten, statt der Milch zum Dämpfen Gulaschsauce nehmen. Die fertigen Nudeln mit dem Gulasch übergießen und mit grünem Salat servieren.

Rindsrouladen

4 große Scheiben mageres Rindfleisch, 4 Eßl. eingemachtes Suppengrün (Seite 10), Pfeffer, 4 Streifen durchwachsener Speck, 1 Gewürzgurke, Pfeffer, 40 g Schweineschmalz, 1 Zwiebel, 2 Kellen Fleischbrühe, 1 gehäufter Eßl. Mehl, ⅛ l saurer Rahm

Die Fleischscheiben auslegen und mit je einem Eßlöffel Suppengrün bestreichen. Pfeffern, an das eine Ende der Scheiben je einen Speckstreifen und einen Streifen der längs geviertelten Gewürzgurke legen, zusammenrollen und feststecken. Die Rouladen und die geviertelte Zwiebel auf allen Seiten in Schmalz gut anbraten und mit 2 Kellen Fleischbrühe aufgießen. Zudecken und eine gute Stunde langsam schmoren lassen. Dann die Rouladen herausnehmen und das in dem Rahm verquirlte Mehl darin glattrühren. Wieder aufkochen und die Rouladen eine weitere halbe Stunde in der Sauce schmoren lassen. Vor dem Servieren die Zwiebeln herausnehmen und die Sauce nochmals gut durchrühren.

Kalbsvögerl

4 große Kalbsschnitzel, 350 g Kalbsmarkknochen, 2 Schalotten, ½ Knoblauchzehe, 15 g getrocknete

58

Morcheln, ¹/₄ l saurer Rahm, Thymian, abgeriebene
Zitronenschale, Pfeffer, Salz, 40 g Butter, ¹/₈ l
Fleischbrühe, ¹/₈ l süßer Rahm, 1 Eidotter

Das Mark aus dem Kalbsknochen lösen, hacken und auslassen. Die feingehackten Schalotten darin etwas andünsten, die zerdrückte halbe Knoblauchzehe und die eingeweichten und gehackten Morcheln zufügen und kurz dämpfen. Dann ¹/₈ l sauren Rahm dazurühren und mit Thymian, Zitronenschale, Pfeffer und Salz abschmecken. Auf die ausgebreiteten Schnitzel streichen, diese zusammenrollen und feststecken oder zusammenbinden. In heißer Butter rundum anbraten, die Hälfte der Fleischbrühe darangeben und im Ofen fertigbraten. Die Vögerl herausnehmen und warmstellen. Die restliche Fleischbrühe zufügen, kurz aufkochen und vom Feuer nehmen. Mit dem mit dem restlichen sauren und dem süßen Rahm verklepperten Eigelb legieren und nochmal unter ständigem Rühren erhitzen, bis die Sauce dicklich wird. Die Vögerl mit Sauce übergossen servieren.

A guats Hochzeit's Mohl

Gefüllte Kalbsschulter

Früher war die gefüllte, ganze Kalbsschulter ein Sonntagsgericht für eine normale Familie. Seit die Kälber keine Milchkälber mehr, sondern Jungrinder sind, ist die gefüllte Kalbsschulter ein opulentes Festmahl geworden – oder man begnügt sich mit einem Stück:

1,5 kg Kalbsschulter, 300 g Kalbsknochen, 60 g
Butter, 2 Bund Suppengrün, 1 Zwiebel, Pfeffer,
Salz
Für die Fülle: 2 alte Semmeln, 150 g gekochter
Schinken, 3 Eier, ¹/₈ l Milch, etwas abgeriebene
Zitronenschale, Muskatnuß, Pfeffer, Salz, 20 g But-
ter, je 2 Eßl. gehackte Zwiebel und Petersilie

Die Kalbsschulter schon vom Metzger herrichten lassen oder selbst auslösen und vorsichtig eine Tasche einschneiden. Innen und außen leicht salzen. Die Semmeln und den Schinken würfeln; Eier, Milch und Gewürze verrühren und über die Semmelwürfel gießen. In der Butter Zwiebeln und Petersilie etwas anlaufen lassen, dann mit den übrigen Zutaten vermischen; etwas durchziehen und quellen lassen. Die Kalbsbrust damit locker füllen und gut zunähen. In einer Reine die Butter zergehen lassen, das gehackte Wurzelwerk, die Zwiebeln und die Knochen zufügen. Den Braten mit Fett bestreichen, etwas pfeffern, darauflegen und bei mittlerer Hitze in knapp 2 Stunden unter häufigem Begießen, zunächst mit Wasser, später mit dem Bratensaft, im Ofen garen. Die Sauce nach Belieben mit saurer Sahne und etwas Mehl binden.

Ebenso werden andere gefüllte Braten zubereitet: Kalbsbrust, Schweinsschulter und Schweinsbrust.

Beliebt sind in München auch Füllungen, die mit Zunge oder mit Spinat zubereitet werden.

Eingemachtes Kalbfleisch

800 g mageres Kalbfleisch, 50 g Butter, 1 Zwiebel, 1¹/₂ Eßl. Mehl, ¹/₃ l Fleischbrühe (am besten Kalbfleischbrühe), 1 Glas Weißwein, etwas abgeriebene Zitronenschale, ¹/₂ Eßl. Zitronensaft, weißer Pfeffer, Salz, 1 Eßl. gehackte Petersilie, nach Belieben ¹/₈ l süßer Rahm und 1 Eigelb

Das Kalbfleisch in Würfel schneiden und in zwei Gängen in der Butter hellbraun anbraten. Herausnehmen, die gehackte Zwiebel anlaufen lassen und mit Mehl bestäuben. Unter ständigem Rühren mit der Fleischbrühe ablöschen und wieder zum Kochen bringen. Die Fleischbrühe hineingeben, mit Wein, Zitronenschale und -saft sowie Pfeffer und Salz abschmecken und mit Petersilie würzen. Nach Belieben mit Rahm und Eigelb verfeinern.

Für 6 Leute

Kalbsnierenbraten

1,5 kg Kalbsnierenbraten (vom Metzger vorbereitet, ausgebeint und gerollt), Salz, Pfeffer, 40 g Kalbsnierenfett, 500 g Kalbsknochen, 2 Bund Suppengrün, 1 Zwiebel, 1 Tasse geriebenes, trockenes Sauerteigbrot, 1 Tasse saurer Rahm

In einer Reine das Fett zergehen lassen, den mit Salz und Pfeffer eingeriebenen Braten mit der Oberseite nach unten hineinlegen und mit Fett bestreichen. Mit den Kalbsknochen, dem Suppengrün und der geviertelten Zwiebel umlegen. In den auf 220° vorgeheizten Ofen schieben, nach ¼ Stunde seitlich 2 Kellen Wasser zufügen. Ab jetzt hin und wieder begießen, nach insgesamt 1 Stunde Bratzeit umwenden, dabei den Braten auf die Knochen und Gemüse betten und die Temperatur etwas zurückstellen. Immer wieder begießen, nach einer weiteren Stunde mit einer gesalzenen und gepfefferten Mischung aus geriebenem Brot und Sauerrahm bestreichen. Den Ofen etwas öffnen und die Kruste trocknen lassen. Die Sauce mit den Gemüsen durch ein Sieb streichen und verrühren, nicht mit Mehl binden, höchstens noch etwas Sauerrahm zufügen.

Fleischpflanzerl

Es gibt die einfachen Pflanzerl, die je zur Hälfte aus Schweine- und Rindfleisch bestehen und die feineren, die zu je 30% aus Schwein und Rind und zu 40% aus Kalb bestehen. Manchmal wird auch gekochtes, durchgedrehtes Fleisch zugefügt.

750 g Hackfleisch, 2 angetrocknete Semmeln, 2 bis 3 Eier, 1 gehackte Zwiebel, 2 Eßl. gehackte Petersilie, je 1 Prise Majoran und Basilikum, Pfeffer, Salz, 40 g Schweineschmalz

Die abgeriebenen Semmeln kleinschneiden, in Wasser einweichen und ausdrücken. Alle Zutaten gut vermischen (Teigrührwerk) und nicht zu große, flache Pflanzerl formen. In nicht zu heißem Schmalz gut durch und braun braten. Mit Kartoffel- und grünem Salat begleiten.

In der Holledau werden diese »Pfannzelten« (diese Bezeichnung für fladenartiges Gebäck oder Gebratenes lebt im Wort »Lebzelter«, dem Lebkuchenbäcker noch fort) im Frühling mit feingehackten Hopfensprossen (Hopfenspargel) gewürzt!

Krautwickerl

Mit Liebspeis!

12 große, äußere Weißkrautblätter, 75 g rohes ge-
räuchertes Wammerl, $\frac{1}{3}$ l Fleischbrühe, $\frac{1}{8}$ l saurer
Rahm
Für die Fülle: 500 g gemischtes Hackfleisch, 1 bis 2
Eier, 1 gehackte Zwiebel, 2 Eßl. gehackte Peter-
silie, nach Belieben 1 angetrocknete, eingeweichte
Semmel, Pfeffer, Salz

Die sorgfältig abgelösten Blätter in sprudelnd wallendes Salzwasser tauchen, bis sie sich leicht biegen lassen. Abschrecken
und die harten Strunk- und Rippenteile wegschneiden. Aus den
angegebenen Zutaten eine Fülle bereiten und auf jedes Kraut-
blatt eine abgeflachte Kugel setzen. Die Blätter einrollen und
umschlagen, zusammenbinden oder -stecken oder -klammern.
In einem Topf das Wammerl auslassen, die Krautwickerl hineinlegen und auf beiden abgeflachten Seiten gut anbraten. Mit etwas Fleischbrühe auffüllen, zudecken und eine gute Stunde
schmoren lassen – dabei immer wieder etwas Fleischbrühe nach-
gießen. Während der letzten Viertelstunde den Rahm mitkochen
lassen. Nach Belieben auch mit Kümmel abschmecken.

Leberkäs oder Milzwurst abgebräunt

Fingerdicke Leberkäs- oder Milzwurstscheiben werden in Butter oder Schweineschmalz schön braun gebraten und meist mit
einem Spiegelei darauf mit verschiedenen Salaten serviert.

Münchner Schnitzel

4 recht dicke Schweineschnitzel, 150 g feines Kalbs-
brät, $\frac{1}{2}$ Eßl. gehackte Petersilie, $\frac{1}{2}$ Eßl. geriebene
Schalotten, je $\frac{1}{2}$ Teel. frische Kräuter: Estragon,
Majoran, Basilikum, 1 Ei, Pfeffer, Salz, 50 g Butter

In die Schweineschnitzel eine Tasche schneiden, mit einer aus
den übrigen Zutaten bereiteten Fülle stopfen, sorgfältig zustecken oder zunähen und außen pfeffern und salzen. In Butter
bei nicht zu großer Hitze ganz durch und goldbraun braten.

Gschwollne

Oder in Buttermilch
einlegen

Die hautlosen Würste aus Kalbsbrät (anderswo Wollwürste oder nackte Bratwürste genannt) werden kurz in Milch gewendet, in der Pfanne gebraten (abgebräunt) und mit Kartoffelsalat gegessen.

Osterlamm und Osterkitz

1 Lamm- oder Kitzviertel (etwa 2 bis 3 kg), Pfeffer, Salz, nach Belieben etwas Rosmarin, Salbei und Basilikum, 125 g Butter, $^1/_8$ l Fleischbrühe

Das Fleisch von Sehnen und Fett befreien, pfeffern und salzen, nach Belieben auch mit Kräutern einreiben. Auf allen Seiten in viel Butter anbraten und in den Ofen schieben. Unter öfterem Wenden und häufigem Begießen zunächst mit der nach und nach zugefügten Fleischbrühe, dann mit dem Bratensaft bei mittlerer Hitze goldbraun braten. Die Bratzeit beträgt gut 2 Stunden. Die Sauce wird im allgemeinen klar gereicht, manchmal mit etwas Zitronensaft und Zitronenschale abgeschmeckt, manchmal mit etwas Rahm verrührt. Als Beilage Kartoffeln mit Petersilie und erste Frühlingsgemüse.
Oft wird das Fleisch vor dem Braten einige Stunden in Milch gelegt.

Schinken in Brotteig

Ebenfalls ein überliefertes Ostergericht. Winter (eingelegter und geräucherter Schinken) und Frühling (erste Kräuter) vereinigen sich hier.

2 kg mild gepökelter und geräucherter Schinken, 1 kg Brotsauerteig (vom Bäcker), 3 Eier, je 1 gehäufter Eßl. gehackte Kräuter: Petersilie, Kerbel, Pimpinelle, Sauerampfer, Brunnenkresse und junges Zwiebellaub, je ein Teel. Estragon, Basilikum, Majoran und Zitronenmelisse, $^1/_2$ Teel. Liebstöckl, Thymian, Rosmarin und Salbei, nach Belieben auch: Brennesseln, Löwenzahn, Frauenmantel, Wegerich,

Huflattich, Hirtentäschel, Schafgabe und etwas Kümmelblatt, Pfeffer, Mehl, Salz

Den Schinken, falls er zu'salzig ist, über Nacht wässern, abtrocknen, die Schwarte abschneiden und allseitig gut pfeffern. Den Brotteig fingerdick auswalzen, mit den verquirlten Eiern bestreichen und mit den gemischten, gehackten Kräutern bestreuen. Den Schinken darauflegen, einrollen, dabei die Teigrinde übereinanderschlagen und gut zusammendrücken – evtl. befeuchten. In den Teigmantel 2 bis 3 nicht zu kleine Löcher bohren, damit die entstehenden Dämpfe entweichen können. Bei mittlerer Hitze etwa 3 Stunden backen (oder zum Bäcker geben), gegen Ende der Backzeit den Teig mit Salzwasser bestreichen, damit er eine schöne Kruste bekommt. In nicht zu dünne Scheiben schneiden, schuppenartig anrichten, mit Petersilie umlegen und nur einen zarten Frühlingssalat dazugeben.

Notizen & weitere Rezepte:

fig. 6

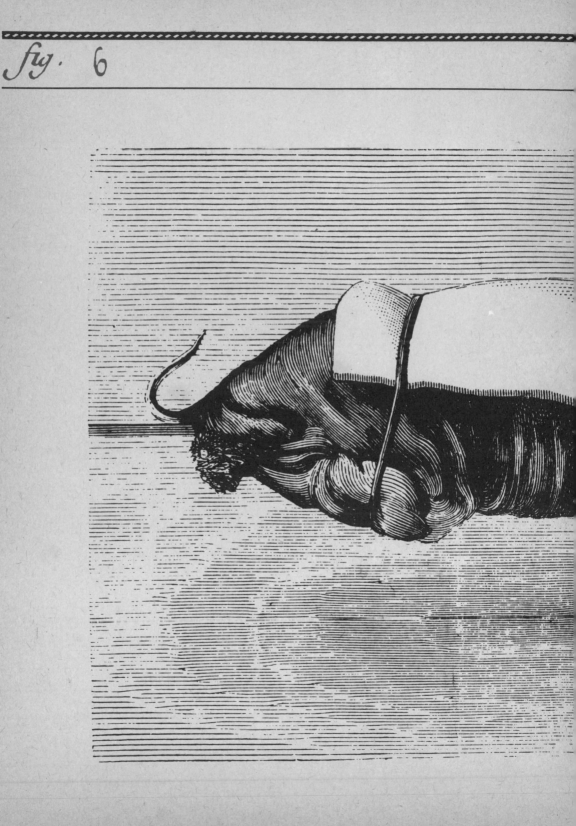

Geflügel und Wild

Das ländliche Oberbayern ist an beidem reich:

Auf den abgelegeneren Bauernhöfen werden auch heute noch Hühner, Enten, Gänse und Truthähne (Indian genannt, weil sie aus »Indien«, sprich Amerika stammen) gezogen.

Riesige Wälder, Staatsforsten und Triften bildeten und bilden ideale Bedingungen für nahezu alles Wild.
Den Oberbayern sitzt das Jagdfieber im Blut: Legendäre Wilderer lieferten sich erbitterte Kämpfe mit den Jagdaufsehern. Dabei ging es nur in zweiter Linie um die Nahrung – in erster Linie war das Jagen wichtig. Immerhin bekam die Bäuerin aber ihr Wild und mußte es zubereiten: Butter, Rahm, Schwammerl und Beeren sind die natürlichen Zugaben des Landes. Das erste Essen gab es gleich, vom frischen Wild: den Aufbruch. Einige Tage später gab es den Braten – der Rest wurde eingelegt, damit er sich besser hielt; einen Kühlschrank gab es ja noch nicht.
Der große Münchner Gastronom und Kochkünstler Alfred Walterspiel hat immer wieder darauf hingewiesen, daß das lange Abhängen und das Beizen aus Not und nicht aus freiem Willen geboren wurde. Beides ist kulinarisch gesehen ein grober Unsinn, der feine Geschmack des frischen Wildes wird nur zerstört.

Huhn und Hähnchen

Natürlich schätzt man auch in Oberbayern dieses einst auf allen Höfen anzutreffende Geflügel. Daß es besonders charakteristische, typisch oberbayrische Zubereitungsarten gibt, kann man jedoch nicht behaupten.

Kirchweihganserl

Die Beliebtheit der Gans zeigt sich bereits in dieser typischen Verkleinerungsform, die auch deutlich macht, daß es sich um eine junge Gans (also aus demselben Jahr) handeln muß.

1 Gans, Pfeffer, Salz, 1 Sträußchen Beifuß, 2 Zwiebeln, 1 Bund Suppengrün, Bier

68

Die vorbereitete Gans innen und außen mit Pfeffer und Salz einreiben und ein Sträußchen Beifuß hineinlegen. In eine große Bratreine die geschälten und halbierten Zwiebeln und das unzerschnittene Suppengrün geben, mit einem halben Liter kochendem Wasser aufgießen und die Gans mit der Brust nach unten hineinlegen. In der vorgeheizten Röhre etwa 45 Minuten bei guter Hitze anbraten, dann unter den Flügeln die Haut mit einer Gabel mehrmals leicht einstechen, ohne das Fleisch zu verletzen. Das Fett öfters abschöpfen, die Gans immer wieder begießen. Wenn alle Flüssigkeit verdampft ist und die Zwiebeln braun geworden sind, neues Wasser seitlich aufgießen. Nach 1 1/2 Stunden die Gans umdrehen und die Brust gut bräunen lassen, dabei wieder häufig begießen. Kurz vor Schluß der Bratzeit (je nach Größe etwa 2 bis 2 1/2 Stunden) mit kaltem Bier begießen, damit die Haut knusprig wird. Herausnehmen, zerlegen und warmstellen. Die Sauce entfetten und abschmecken, nicht binden. Mit Knödeln, Sellerie- und Ranensalat servieren.

Heute wird die Gans zur Kirchweih vielfach durch eine Ente ersetzt, die man ähnlich einfach brät. Die Gans bleibt oft in reicherer Zubereitung (gefüllt mit Äpfeln und Kastanien) Weihnachten vorbehalten.

Gekochte Gans mit Meerrettichsauce

1 ältere, fleischige, nicht zu fette Gans, 1 große Zwiebel, 2 Bund Suppengrün, 1 gehäufter Eßl. Salz, 2 Nelken, 2 Lorbeerblätter, 12 bis 15 Pfefferkörner, je 1 gute Prise Thymian, Majoran und Beifuß
Für die Sauce: 2 Eßl. Gänseschmalz, 1 gehäufter Eßl. Mehl, 3/8 l Kochsud, 1 kleine Stange Meerrettich (etwa 150 g), 1/8 l süßer Rahm, 1 Eigelb, Salz

Die sorgfältig hergerichtete Gans fest in eine große Serviette eindrehen und zubinden. In einem aus reichlich Wasser und den angegebenen Zutaten bereiteten Sud, der die Gans vollkommen bedecken muß, weich kochen (etwa 3 Stunden) und zerlegen. Als Beilage Schuchsen (Seite 108) oder mit Petersilie bestreute Salzkartoffeln und Meerrettichsauce reichen.

69

Meerrettichsauce: In Gänseschmalz Mehl anschwitzen, mit Ganssud auffüllen, glattrühren und einige Zeit kochen lassen. Dann den geriebenen oder fein geraspelten Meerrettich (ohne Tränen geht das nicht!) zufügen, nach 10 Minuten vom Feuer nehmen, den mit dem Rahm verklepperten Eigelb einrühren und mit Salz abschmecken.

Wildenten

2 junge Wildenten, 1 Zitrone, 3 Wacholderbeeren,
Pfeffer, Salz, 50 g Butter, 1 Bund Suppengrün,
1 Zwiebel, ¹/₄ l Fleischbrühe, 2 große Speckscheiben

Die ganz frischen, nicht abgehangenen Enten vorbereiten, wenn tranig häuten (ein Stückchen Haut anbraten, riecht es dann nach Tran, so muß die Haut abgezogen werden) und innen und außen mit einer im Mörser bereiteten Gewürzmischung einreiben: etwas Zitronenschale, 1 Wacholderbeere, Pfeffer und Salz, nach Belieben auch ¹/₂ Lorbeerblatt fein zermahlen. In einer Reine die Butter zergehen lassen, die Vögel damit einstreichen und mit der Brust nach oben hineinlegen. Suppengrün und Zwiebel hacken und mit den übrigen Wacholderbeeren dazugeben. Etwas Brühe angießen, die Enten mit den Speckscheiben zudecken. Zitronensaft auf die Speckscheiben träufeln und die Enten, ohne sie zu wenden, im Ofen bei mittlerer Hitze 1 gute Stunde braten. Nach etwa 40 Minuten die Speckscheiben wegnehmen und die Vögel auf den Rost über der Reine schön braun braten. Ab und zu begießen und, wenn nötig, Fleischbrühe nachfüllen. Die Sauce sorgfältig entfetten und abschmecken.
Wildenten waren sehr beliebt – auch Hausenten wurden daher sogar so zubereitet, daß sie wie Wildenten schmeckten:

Man reibt eine ältere Ente inwendig mit einer zerdrückten Sardelle, außen mit Salz, Pfeffer und gestoßenen Wacholderbeeren ein, läßt sie ein paar Tage liegen, übergießt sie dann mit heißer Beize mit rotem Weine, läßt sie ein paar Tage in der Beize liegen und bratet sie dann unter Begießen mit Fett, Beize und Rahm.

Fasanen mit grünem Wacholder

Vielerorts in Oberbayern wächst Wacholder, vor allem in den steinigen Flußtälern. Im Winter findet man an den Büschen die diesjährigen, grünen Wacholderbeeren, die zart und noch etwas harzig schmecken.

Holler pflück'n

2 junge Fasanen, Pfeffer, Salz, 2 Semmeln, 2 Eier, 20 grüne Wacholderbeeren, 1 Eßl. gehackte Petersilie, 1 säuerlicher Apfel, 1 Eßl. Weinbrand, 40 g Butter, 3 große Speckscheiben

Die nur kurz abgchangenen Fasanen (in Bayern schätzt man den sogenannten Haut-Goût, den »hohen Geschmack« nicht besonders) mit Pfeffer und Salz einreiben. Aus den zerschnittenen, in Wasser geweichten und ausgedrückten Semmeln, den feingehackten Innereien der Vögel (Leber, Magen und Herz), Eiern, Wacholderbeeren, Petersilie, geriebenem Apfel, Weinbrand und der zerlassenen Butter eine Farce bereiten, mit Pfeffer und Salz abschmecken und in die Vögel füllen. Zunähen, mit den Speckscheiben umwickeln und im mittelheißen Ofen eine knappe $3/4$ Stunde braten; dann die Speckscheiben entfernen und die Vögel unter häufigem Begießen (zum Schluß mit kaltem Salzwasser) in weiteren 10 Minuten fertig braun braten.

Rehrücken

1 Rehrücken, 1 Eßl. Essig, 5 Eßl. Rotwein, 125 g Spickspeck, Pfeffer, Salz, 150 g Butter, $1/4$ l guter saurer Rahm (30%), $1/4$ l süßer Rahm, 1 Eßl. Mehl

Den Rehrücken von allen Häuten und Sehnen befreien, sorgfältig spicken und in ein Tuch einschlagen, das mit einer Mischung aus 1 Eßl. Essig und 2 Eßl. Rotwein getränkt wurde. Über Nacht kühl stellen. Am nächsten Tag mit Pfeffer und grobem Salz einreiben und in einem eisernen Topf in viel Butter die Fleischseite braun braten. Dann mit dieser Seite nach oben hineinlegen und mit dem vermischten süßen und sauren Rahm bedecken (guter saurer Rahm ist kaum mehr erhältlich, man kann versuchen, süßen Rahm sauer werden zu lassen, aber das ist nicht bei allen Produkten möglich). Etwa 35 bis 40 Minuten bei guter Hitze unter sehr häufigem Begießen braten. Dann herausnehmen, die Sauce mit etwas mit Wasser verschütteltem Mehl binden und mit dem Schneebesen recht glattrühren (kleine Rahmflocken dürfen bleiben). Den Rücken wieder hineinlegen und weitere 15 Minuten nun bei schwächerer Hitze fertiggaren; begießen. Herausnehmen und aufschneiden, aber wieder zusammensetzen. Inzwischen die Sauce mit dem restlichen Rotwein, Pfeffer und Salz abschmecken. Den Rücken mit etwas Sauce überziehen, die restliche Sauce getrennt servieren. Als Beilage Johannisbeergelee, Semmelknödel und Schwammerl.

Braun eingemachtes Hirschwild, bürgerlich

Zu diesem werden gewöhnlich der Hals, die Brüste und das Blatt verwendet. Nachdem diese Stücke rein gewaschen sind, werden sie in Stücke gehauen und in einem Geschirre mit Zwiebeln, gelben Rüben, Porri, Sellerie, Lorbeerblatt, einigen Nelken und Pfeffer eingerichtet, gehörig gesalzen, etwas Citronengelb dazu gethan, mit einem Schöpflöffel voll Fleischbrühe und dem nöthigen Weinessig begossen und sodann weich gekocht. Unterdessen läßt man ein Stück Butter heiß werden, gibt das nöthige Mehl und ein Stückchen Zucker dazu und röstet dies auf Kohlenfeuer ganz dunkelbraun. Wenn das Hirschfleisch weich geworden, wird es in ein anderes Geschirr gelegt, die zurückgebliebene Brühe wird durchgeseiht, entfettet, das geröstete Mehl mit angerührt, diese Sauce gut ausgekocht, rein abgeschäumt und entfettet, mit Citronensaft und einem Glas Wein im Geschmack gehoben, gehörig gesalzen, über das Hirschwild geseiht, mit diesem noch eine Weile gekocht und sodann angerichtet. Dies Ragout von Hirschwild muß sich durch eine dunkelbraune Farbe und kräftigen, angenehm säuerlichen Geschmack auszeichnen und dabei die Sauce nicht fett und nicht dünn sein. In Bayern wird ein solches Hirsch-Ragout stets in Begleitung mit gut bereiteten Leber- oder Schinkenknödeln aufgetischt und allenthalben mit gutem Appetit gespeist.

(Aus J. Rottenhöfer: Anweisung in der feinern Kochkunst.)

72

Gamsbraten

Für 6 Leut

*1,5 bis 2 kg Gamsbraten (Schlegel, Rücken),125 g
rohes geräuchertes Wammerl, 30 g Butter, 3 Bund
Suppengrün, 1 große Zwiebel, 4 Wacholderbeeren,
12 Pfefferkörner, ¼ l Rotwein, Salz, 1 Knoblauchzehe, 1 Eßl. Tannennadeln, 1 bis 2 Eßl. Tannen-
honig, nach Belieben süßer Rahm*

Den abgehangenen Gamsbraten sorgfältig von allen Sehnen und
Häuten befreien. Das Wammerl in Würfel schneiden und in der
Butter auslassen, den Braten darin auf allen Seiten bei starker
Hitze gut anbraten. Herausnehmen, gehacktes Suppengrün und
Zwiebel sowie Wacholderbeeren und Pfefferkörner hineingeben, das Fleisch darauflegen und mit Rotwein und ebensoviel
Wasser aufgießen. Salzen und unter häufigem Begießen und
öfterem Wenden knapp durch, aber braun braten. Eine Viertelstunde vor Bratende die ungeschälte Knoblauchzehe und einige
Tannennadeln an die Sauce geben. Den Braten mit Tannenho-
nig einstreichen und im heißen Ofen glacieren – den Honig in
die Sauce tropfen lassen. Dann den Braten warmgestellt etwas
ruhen lassen. Inzwischen die Sauce durch ein Sieb passieren, dabei die Gemüse gut ausdrücken, entfetten und abschmecken.
Nach Belieben mit süßem Rahm verrühren. Das Fleisch aufschneiden und hübsch angeordnet mit etwas Sauce umgeben, die
übrige Sauce getrennt servieren. Als Beilage Berchtesgadener
Kartoffeln (Scite 98) und Selleriesalat, nach Belieben auch
Preiselbeeren.

Gras Leibspeis

Frischlingsrücken

. . . Man spickt dann den Rücken reichlich mit nicht zu dünnen
rohen Trüffelstiften und läßt ihn mit Speck bardiert im Kühl-
raum hängen.
Man hackt einige Kalbs- und Frischlingsknochen ganz fein und
gibt sie mit zwei Eßlöffeln Butter und mehreren in große Stücke
geschnittenen Zwiebeln und Karotten in eine passende Brat-
pfanne. Der Rücken wird gesalzen und so gebraten, daß er von
außen schön Farbe hat, unter keinen Umständen aber darf er

durchbraten; das heißt, er muß an den Knochen noch rosa sein.

Daraufhin wird die Butter abgegossen; die Knochen werden mit einem Glas Sherry und mit einigen Löffeln kräftigen Kalbsfonds abgelöscht. Man läßt eine Viertelstunde kochen, gibt einige Tropfen Zitronensaft dazu und passiert durch. Von Cognac oder Rotwein sehe ich ab, weil der Trüffelgeschmack zusammen mit dem des Wildes, ein hervorragendes Aroma ergibt.

Zum Frischlingsbraten gibt man am besten Champignons, Steinpilze oder Morcheln; keine Kartoffeln, eher Risotto oder frischen süßen Mais.

(Aus: Alfred Walterspiel: Meine Kunst in Küche und Restaurant.)

Kein schlechtes Essen!

Wirsing mit Wildfüllung

1 großer fester Wirsingkopf, 400 g Wildfleisch (oder Wildfleischreste), 300 g Schweinefleisch – etwa Halsgrat, 50 g geräuchertes Wammerl, 3 Eier, $\frac{1}{8}$ l süßer Rahm, 30 g Semmelbrösel, Salz, Pfeffer, 60 g Schweineschmalz, $\frac{1}{2}$ l Fleischbrühe

Vom Wirsingkopf die äußersten, harten Blätter entfernen. Den ganzen Kopf 5 Minuten in kochendes Salzwasser legen, damit die Blätter weich werden und sich fest zusammenlegen lassen. Den Kopf oben etwas auseinanderbiegen und das Innere aushöhlen. Wild-, Schweinefleisch und Wammerl würfeln. Das Wammerl auslassen und das Fleisch darin beinahe gar braten. Etwas abkühlen lassen und mit den nur eben verrührten Eiern vermischen. Die in Rahm vorgequollenen Semmelbrösel dazu geben und mit Pfeffer und Salz abschmecken. Diese Masse in den Wirsingkopf füllen und gut festdrücken. Die oberen Blätter wieder zusammenschlagen, andrücken und glätten. Vorsichtig in der Mitte und im oberen Drittel zusammenbinden. Schweineschmalz in einer Reine auslassen, den Wirsing hineinsetzen, mit Schmalz und Fleischbrühe begießen und im Ofen bei guter Hitze etwa 1 Stunde garen. Zwischendurch begießen.

Hasenpudding

1,5 kg Hase (1 kg Fleisch ohne Knochen), 300 g feines Kalbfleisch, 150 g fetter Speck, 3 Schalotten, 1 Bund Petersilie, 100 g Pfifferlinge, 2 Eier, 1 Dotter, 3/8 l süßer Rahm, Salz, Pfeffer, Muskatnuß, geriebene Zitronenschale, 1 Prise Thymian, 15 g Butter

Das von Sehnen und Häuten befreite Hasenfleisch, Kalbfleisch, Speck, Schalotten, Petersilie und Pfifferlinge zweimal durch den Fleischwolf drehen. Mit Eiern und Rahm vermischen, würzen und mit dem Teigrührwerk gut durcharbeiten. In eine mit Butter ausgestrichene Puddingform füllen und mindestens 1 Stunde in den Kühlschrank stellen. Dann die Form gut zugedeckt in einen eisernen Topf stellen, mit kochendem Wasser bis kurz unter den Rand aufgießen und in den Ofen schieben. Bei schwacher Hitze gut 2 Stunden ziehen lassen. Der Pudding ist gar, wenn beim Einstechen der austretende Saft nicht mehr rötlich gefärbt ist. Etwas abkühlen lassen, vorsichtig stürzen und mit einer Schwammerlsauce (Seite 78) servieren.

Hat d' Oma oft gmacht.

75

fig · 7

Haltung der Hände bei

Schälen der Champignons.

Bayern gehört zu den Gebieten Deutschlands, in denen das Pilzsuchen eine Tradition hat – die vielen feuchten Wälder haben einiges zu bieten. Pilze aber kennt in Bayern niemand: hier gibt's nur Schwammerl!

Steinpilze, Maronen, Rotkappen, Birkenpilze, Schusterpilze

1 kg Pilze, 1 große Zwiebel, 60 g Butter, ¼ l Rahm, Pfeffer, Salz, gehackte Petersilie

Die Schwammerl putzen, größere Röhren entfernen, bei großen Schwammerl die schleimige Haut abziehen, die Stiele evtl. schälen, alle wurmigen Stellen wegschneiden und blättern. Kurz abspülen, abtropfen lassen und trockenschütteln. Die feingehackte Zwiebel in der Butter andünsten, die Schwammerl hinzufügen und unzugedeckt etwa 15 Minuten dünsten. Dann den Rahm zugeben, mit Pfeffer und Salz abschmecken und mit der Petersilie verrühren. Dazu ißt man Semmelknödel.

Schwammerlsauce

Werden die Schwammerl nicht offen, sondern zugedeckt gedünstet, so kann die in den Schwammerl enthaltene Flüssigkeit nicht verdunsten. Es entsteht so eine Sauce, die vor allem zu Wild gerne mit den Schwammerl gereicht wird.

Auf die gleiche Weise werden die meisten anderen Speisepilze zubereitet, natürlich auch Mischpilze.

Egerlinge

Egerlinge, meist einfach Champignons genannt, kennt man heute beinahe nur noch als Zuchtchampignons. Sie werden als domestizierte Nachkommen des Feldegerlings gezogen. Viel würziger und besser schmecken aber die wildwachsenden, vor allem die Waldegerlinge und die Anisegerlinge. Sie sollten aller-

78

dings nur vom Kenner gesammelt werden, da sie mit dem giftigen Karbolegerling und auch den Knollenblätterpilzen verwechselt werden können.

750 g Egerlinge, 1 Eßl. Zitronensaft, 30 g Butter,
2 Schalotten, 1 Bund Petersilie, 1 Schuß Weißwein,
Pfeffer, Salz

Die Schwammerl putzen, ältere von den Blättern befreien und (bei Waldegerlingen) die Schuppen abstreifen, aber nicht häuten, da in der Haut die wertvollsten Aromastoffe enthalten sind. Zähe Stiele wegwerfen. Waschen, abtropfen lassen, trockenschütteln, blättern und mit etwas Zitronensaft beträufeln. In der Butter die gehackten Schalotten andünsten, die Schwammerl dazugeben und nur kurz nicht zu weich dünsten. Reichlich gehackte Petersilie zufügen, mit einem Schuß Weißwein würzen und mit viel frischgemahlenem Pfeffer und Salz abschmecken.

Korallen, Hahnenkämme und Bärentatzen

Diese merkwürdigen, wirklich oft schwammartigen Schwammerl findet man häufig vor allem in den Buchenwäldern des Voralpenlandes. Sie werden entweder wie Pfifferlinge zubereitet oder (gut gesäubert) in verrührte Eier oder Pfannkuchenteig getaucht und in heißem Butterschmalz ausgebacken.

Reherl

Die in anderen Gegenden Pfifferling oder Eierschwamm genannten Schwammerl werden wie Steinpilze zubereitet. Sie sollten aber nicht lange kochen, sonst werden sie hart. Doch ißt man sie in Oberbayern gern auf folgende Art:

500 g Reherl, 60 g Butter, 1 Zwiebel, 5 Eier, $\frac{1}{8}$ l
Rahm, Pfeffer, Salz, Petersilie

Die geputzten Reherln kurz überbrausen, gut abtropfen lassen und trockenschütteln. In der Butter mit der feingehackten Zwiebel in einer großen Pfanne andünsten, alle entstehende Flüssigkeit soll verdunsten. Die Eier mit dem Rahm verrühren, pfeffern, salzen und über die Schwammerl gießen. Petersilie darüber-

79

streuen und alles kurz anbraten lassen, aber nicht umrühren oder wenden. Nach einigen Minuten, wenn die untere Schicht gut angeröstet und festgeworden ist, unter den vorgeheizten Grill schieben und goldgelb überbacken (früher lud man dazu glühende Kohle auf den Pfannendeckel!).

Auf gleiche Weise kann man Semmel-, Habichtspilze und Schafseuter zubereiten.

Schirmling

Vor allem den Großen Schirmling (Parasol) kann man im Herbst häufig finden. Am besten schmecken die jüngeren Schwammerl, die sich noch nicht ganz aufgespannt haben und noch eine eiförmige Haube besitzen.

Die ungenießbaren Sticle werden entfernt, die Schwammerl in Stücke zerteilt, gewaschen, etwas glattgedrückt, mit Mehl bestäubt und in Butter gebraten. Sie werden gesalzen und gepfeffert, nach Belieben auch mit etwas Zitronensaft beträufelt und mit Kartoffeln und Salat gegessen. Ihr Geschmack erinnert an Kalbfleisch.

Maurachen

Als Morcheln jedem Feinschmecker bekannt, waren sie noch vor 100 Jahren im Frühjahr so häufig, daß sie keineswegs als besondere Delikatesse galten. Sie waren nicht nur begehrte Würze, sondern selbständiges Gericht. Sie werden im allgemeinen wie Steinpilze zubereitet. Hier noch ein altes Rezept:

Man nimmt große spitzige Maurachen, schneidet den Stängel ab, wascht und siedet selbe. Hackt hernach davon einige klein, nimmt ein Stück Butter, röstet Semmelbröseln, legt die gehackten Maurachen hinein, salzt und würzt sie. Dann schlägt man ein Ey daran, giebt klein gehacktes Petersilkraut darunter, rührt es untereinander, und füllet die Maurachen damit ein, stellt sie in eine Schüssel, so daß der Spitz aufrecht zu stehen kommt, und macht eine Butterbrühe, daran.

(Aus: Johanna Maria Huberinn: Baier'sches Kochbuch.)

Notizen & weitere Rezepte:

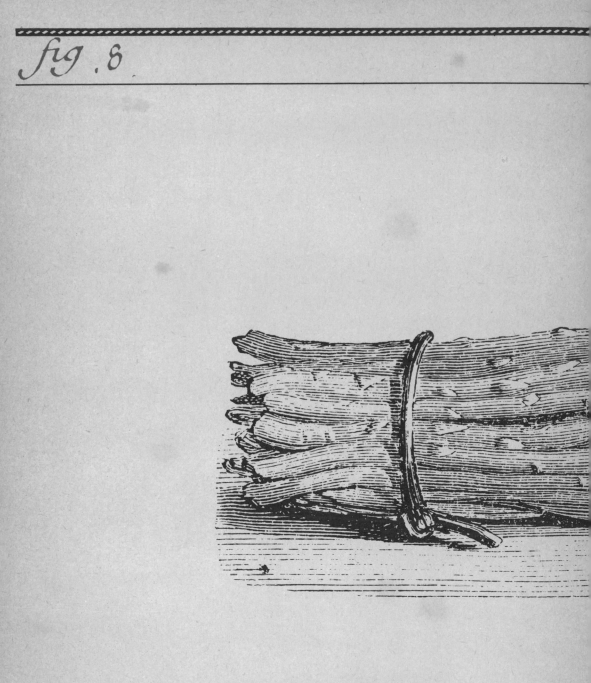

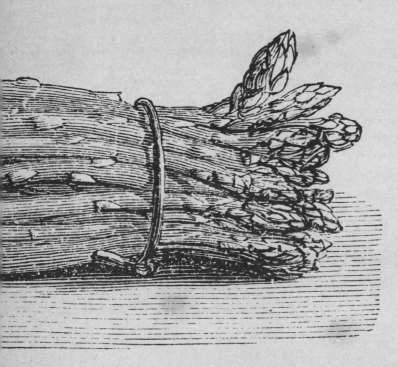

Sauerkraut

Sauerkraut wird in Oberbayern mit einer Mischung aus Wasser und Fleischbrühe unter Zugabe von Bratenfett, Schweine- oder Gänseschmalz gekocht oder in Schmalz und Zwiebeln gedünstet. Dann tut man ein Lorbeerblatt daran, nach Belieben auch Wacholderbeeren, manchmal wird mit einem Schuß Wein gewürzt. Auf jeden Fall aber kommt an das Kraut ein Stück Schweinefleisch (roh, gesalzen oder geräuchert) und meist auch etwas Bratensauce.

Bayrische Rüben

750 g kleine, weiße Rüben, ½ l Fleischbrühe, 1 Stück Schweinsschwarte, 40 g Schweineschmalz, 1 gehäufter Teel. Zucker, 1½ Eßl. Mehl, Pfeffer, Salz, 3 Eßl. Rahm

Die Rübchen waschen, schaben, größere Rüben halbieren und in der Fleischbrühe mit einer Schweinsschwarte knapp gar kochen. Im Schmalz etwas Zucker verrühren und erhitzen, bis er anfängt, Blasen zu werfen. Dann Mehl darüberstäuben und eine dunkle Einbrenne rühren. Die Fleischbrühe mit dem Rübensaft darangeben und glattrühren, falls nötig noch etwas zusätzliche Fleischbrühe angießen. Die Rüben ohne die Schweinsschwarte dazugeben und mit Pfeffer und Rahm abschmecken.
Wenn die Rüben zu Fleischgerichten gereicht werden, kann man sie in Bratensauce weichdünsten, sie werden um so besser!

Rahmkarfiol

Karfiol – so heißt in Bayern der Blumenkohl, volksmundlich umgewandelt aus der italienischen »cavolfiore«.

1 großer Blumenkohl, 30 g Butter, ¼ l Rahm, ¼ l Milch, Pfeffer, Salz, 3 Eßl. Semmelbrösel

Den Blumenkohl putzen, in große Röschen zerteilen und in

Salzwasser 5 Minuten kochen. Die Röschen abtropfen lassen und dicht nebeneinander in eine mit reichlich Butter ausgestrichene Auflaufform setzen. Den Rahm mit der Milch verrühren, mit Pfeffer und Salz, nach Belieben auch mit etwas Muskatnuß, würzen; über den Blumenkohl gießen und mit Semmelbröseln bestreuen. Im Ofen goldbraun überbacken.

Früher liebte man es, die Sauce mit Krebsschwänzen anzureichern!

Spargel

Rund um die Stadt Schrobenhausen, bis hinüber nach Sandizell, liegen Oberbayerns Spargelfelder. Der Spargel von dort reist kaum weiter als bis nach München, wird zum größten Teil an Ort und Stelle verbraucht.

Mein Lieblingsgemüs'

Spargel mit Buttersauce

1,5 kg Spargel, 150 g Butter, 1 Eßl. Mehl, 1 Eidotter, weißer Pfeffer, Salz, Zitronensaft, nach Belieben frische Kräuter

Den Spargel von oben nach unten schälen, holzige Teile abschneiden und in Salzwasser nicht zu weich kochen. In 25 g Butter das Mehl verrühren und gelb werden lassen. Mit etwas Spargelsud aufgießen und glattrühren. Gut durchkochen lassen, vom Feuer nehmen und mit einem Dotter legieren. Mit dem Schneebesen (oder dem Handmixer) 125 g Butter schaumig unterschlagen, mit frisch gemahlenem Pfeffer, Salz und Zitronensaft abschmecken. Nach Belieben auch fein gehackte Kräuter (Pimpinelle, Sauerampfer, Basilikum, Borretsch, Zitronenmelisse, Petersilie, Schnittlauch) dazumischen. Die gut abgetropften Spargel auf einer vorgewärmten Platte anrichten und mit der Sauce begießen.

Schinkenspargel

1,5 kg Spargel, 250 g Lachsschinken, 6 Schalotten,
2 Bund Petersilie, 60 g Butter, 6 Eier, Pfeffer, Salz

Die vorbereiteten Spargel in Salzwasser nicht zu weich kochen.
Inzwischen den Lachsschinken in kleine Stückchen schneiden.
Die Schalotten und die Petersilie hacken und in Butter weichdünsten. Die Eier 4 1/2 bis 5 Minuten kochen; der Dotter soll
noch ganz flüssig, das Weiße aber schon fest sein. Die Eier zerdrücken und mit Schinken und dem Butter-Schalotten-Petersi-
lie-Gemisch verrühren. Mit Pfeffer und Salz abschmecken und
über die gut abgetropften Spargel verteilen.

Hopfensprossen

500 g Hopfensprossen (Hopfenspargel), Salz, 20 g
Butter, 1 Eßl. gehackte Zwiebel, 1 Eßl. Mehl, 1/4 l
Fleischbrühe, Pfeffer, Petersilie

Von den Hopfensprossen alles Hölzerne abschneiden, waschen,
in kochendem Salzwasser 2 Minuten blanchieren und abtropfen
lassen. In der Butter die Zwiebel etwas anlaufen lassen, mit
Mehl bestäuben und gut verrühren. Fleischbrühe aufgießen,
pfeffern und salzen und gut durchkochen. Die Hopfensprossen
in die Sauce geben und darin fertigkochen; mit Pfeffer und
Petersilie würzen und nach Belieben mit Rahm und Eidotter
verfeinern.

probieren!

Latukengemüse

Hinter dieser merkwürdigen Bezeichnung verbirgt sich nichts
anderes als der grüne, keinen Kopf formende Lattich- oder
Bindsalat, der früher wie heute aus Italien importiert wird:
»latuga« heißt er dort! Jetzt wird er meist unter der Bezeichnung Romana oder römischer Salat angeboten.

4 mittelgroße oder 2 große Lattichstauden, Salz,
Pfeffer, 100 g Mehl, 2 Eier, 1/8 l Milch, Schmalz
zum Ausbacken

86

Von den Salatstauden die äußeren, harten und unansehnlichen Blätter entfernen; große Stauden längs halbieren. In sprudelnd kochendem Salzwasser 3 Minuten nicht zu weich kochen, herausnehmen, abtropfen lassen und gut zusammen- und ausdrücken. Aus Mehl, Eiern, Milch und einer Prise Salz einen Pfannkuchenteig bereiten, die gesalzenen und gepfefferten Salatstauden damit überziehen und im heißen Schmalz schwimmend goldbraun backen.

Den haben wir als Kinder oft gessn!

Sauerampfer

500 g Sauerampfer, 60 g Butter, 2 hartgekochte Eidotter, Muskatnuß, Pfeffer, Salz, $^1/_8$ l süßer Rahm

Den Sauerampfer gut waschen, alle Stiele und dicken Blattrippen entfernen. Mit kochendem Wasser begießen, damit er zusammenfällt. In der zerlassenen Butter wenden und kurz aufkochen lassen. Die Eidotter zerdrücken und dazumengen, würzen und mit Rahm vermischen.

Ebenso kann man Brennesseln und Spinat zubereiten. Oft werden die Eidotter weggelassen und statt dessen etwas Mehl darüber gestäubt – das allerdings zeugt nicht von großer Achtung vor den zarten Gemüsen.

Spinatpflanzerl

750 g Spinat, Salz, Pfeffer, Muskatnuß, 1 Zwiebel, 60 g Butter, Zitronensaft

Den Spinat waschen und sorgfälig alle Stiele und dicken Blattrippen entfernen. In viel sprudelnd kochendem Salzwasser zusammenfallen lassen. Herausnehmen, abtropfen lassen und ausdrücken. Mit Salz, Pfeffer und Muskatnuß würzen und kleine, abgeflachte Bällchen wie für Pflanzerl (Bouletten) formen. Die Zwiebel hacken und in der Butter anlaufen lassen, die Pflanzerl hineinlegen und auf beiden Seiten gut anbraten. Nach Belieben mit Zitronensaft beträufeln.

fig · 9

Salate

Morg Axel sehr!

Blattsalat

Besonders beliebt ist auch in Oberbayern der Kopfsalat – er wird mit einer einfachen Essig-Öl-Sauce angemacht, gerne mit Schnittlauch, manchmal mit Dill gewürzt. Die eigentlichen Spezialitäten aber sind Brunnenkresse, die im Frühjahr zur Blutreinigung beitragen soll, und die im Winter unentbehrlichen Endivien und Nissl.

Tante Fanny einladen.

Brunnenkressesalat

*150 g Brunnenkresse, 2 hartgekochte Eidotter, 2 Eßl.
Öl, 2 1/2 Eßl. Weinessig, Pfeffer, Salz*

Die Brunnenkresse sorgfältig in Salzwasser waschen, dicke Stiele entfernen und gut abtropfen lassen. Aus den angegebenen Zutaten eine Sauce rühren und über die Kresse gießen. Gut umwenden und sofort verspeisen – die Kresse fällt schnell zusammen.

Nisslsalat

Nissl oder Vogerlsalat heißt in Bayern der Feld- oder Ackersalat.
Den Salat putzen, waschen und abtropfen lassen. Mit feingehackten Schalotten und einer nicht zu öligen Sauce anmachen.

Endiviensalat

Der »Andivi« wird ganz fein geschnitten (nudelartig) und mit gehackten Zwiebeln und einer einfachen, gut gesalzenen Sauce aus Essig und Öl angemacht. Besonders gut schmeckt er mit etwas Estragon oder Estragonessig. Man läßt ihn vor dem Servieren 1/2 Stunde ziehen.

Löwenzahnsalat

350 g Löwenzahn, 80 g Wammerl, ½ Eßl. Öl,
3 Eßl. Essig, Pfeffer, nach Belieben ein hartgekoch-
tes Ei

Den Löwenzahn, den man im Frühjahr vor der Blüte auf den
Wiesen selber sticht, sorgfältig waschen und alle harten Blätter
entfernen. Gut abtropfen und in Essig wenden. Inzwischen das
gewürfelte Wammerl in etwas Öl rösch braten, pfeffern und heiß
über den Salat gießen. Umwenden und sofort verspeisen. Man
kann auch ein kleingehacktes Ei unter den Salat mengen.

Hopfenspargelsalat *Gibt's am 9.4.*

Den Hopfenspargel waschen, harte Teile abschneiden, kurz kochen, abschrecken und mit einer leichten Essig-Öl-Sauce vorsichtig umwenden.

Kartoffelsalat

750 g Salatkartoffeln, 5 Eßl. Fleischbrühe, 3 Eßl.
Essig, 3 Eßl. Öl, 1 gehackte Zwiebel, weißer Pfef-
fer, Salz, Schnittlauch oder Petersilie

Die Kartoffeln waschen und weichkochen. Noch heiß schälen,
in Scheiben schneiden und mit einer Mischung aus Fleischbrühe,
Essig und Öl übergießen. Umwenden und mit Zwiebel, Pfeffer
und Salz würzen. Während des Abkühlens mehrmals wenden —
es macht nichts, wenn die Kartoffelscheiben zerbrechen und zerfallen. Mit Schnittlauch oder Petersilie bestreut servieren.

Ranensalat

Die sehr beliebten Wurzeln werden auf viele Arten angemacht.
In jedem Falle werden sie gekocht, geschält und in Scheiben geschnitten. Dann gibt man sie entweder mit Salz, Kümmel, Koriander, Essig und etwas Öl in einen Steinguttopf und läßt sie ei-

nige Tage ziehen, oder sie werden mit Essig, Öl, Zwiebel und Meerrettich oder Kümmel sofort angemacht. Manchmal gießt man noch 2 Eßl. sauren Rahm darüber.

Mommowrezept

Selleriesalat

Die Knollen putzen, waschen, kochen, schälen und in Scheiben schneiden. Auf einer Platte ausbreiten und noch heiß mit einer Essig-Öl-Marinade übergießen. Pfeffern, salzen und unter ständigem Begießen in der Marinade abkühlen lassen. Mit Schnittlauch oder feingehackten Zwiebeln bestreuen.

Weißkrautsalat mit Speck

500 g Weißkraut, 80 g Wammerl, 1/2 Eßl. Öl, 2 Eßl. Essig, Kümmel, Pfeffer, Salz

Vom Weißkraut die äußeren Blätter und die Strünke entfernen und die Blätter in feine Streifen schneiden. Entweder in kochendes Salzwasser geben und ganz kurz kochen lassen oder mit Salz bestreuen und über Nacht beschwert kühl stellen. In jedem Falle gut abtropfen lassen und ausdrücken. Das würfelig geschnittene Wammerl in wenig Öl anbraten und über den mit Essig, Kümmel und Pfeffer gewendeten Salat gießen.

Notizen & weitere Rezepte:

Beilagen

Knödel

Bei allen Knödeln immer einen kleinen Probeknödel formen und garen. Wird dieser zu fest, eingeweichte Semmeln, Milch, Ei oder Butter dazugeben, kocht er ab oder zerfällt er, etwas Mehl oder einige Semmelbrösel in den Teig einarbeiten.

Münchner Kartoffelknödel

1 kg rohe Kartoffeln, 350 g gekochte Kartoffeln,
1 Ei, ¹/₈ l Milch, Salz, 1 Semmel, 20 g Butter

Die rohen Kartoffeln reiben und in etwas Essigwasser fallen lassen. Dann in ein Leinentuch einschlagen, sehr fest auspressen und sofort mit der kochenden Milch begießen. Die gekochten Kartoffeln reiben und mit den rohen Kartoffeln vermischen. Salzen und das Ei einrühren. Probeknödel kochen, und wenn er gut ist (sonst siehe oben), mit nassen Händen Knödel formen. In die Mitte einige geröstete Semmelwürfel geben. In kochendes Salzwasser legen, das Wasser wieder zum Kochen bringen und halb geöffnet 25 bis 30 Minuten leise sieden lassen.

Räuberknödel

1 kg Kartoffeln, 2 Semmeln, 20 g Butter, ¹/₈ l Milch,
250 g Mehl, 2 Eier, Salz, Pfeffer, 30 g Butter,
1 große Zwiebel

Die Kartoffeln schälen und reiben. In kaltem Wasser öfters rein auswaschen, bis das Wasser nicht mehr trüb wird. Die Semmeln würfeln, die Hälfte in Butter anrösten, die andere Hälfte mit kochender Milch übergießen. Beides abkühlen lassen, mit den gut ausgepreßten Kartoffeln vermischen und mit Mehl, Eiern, Pfeffer und Salz vermengen. Probeknödel formen und kochen. Ist er gut (sonst siehe oben), mit bemehlten Händen Knödel drehen und in kochendes Salzwasser legen. 30 Minuten leise sieden lassen, mit in Butter gerösteten Zwiebelwürfelchen begossen servieren.

Grüne Kartoffelknödel

Wiege recht fein Räucherspeck, Petersilien, Spinat und junges Zwiebellauch, vermenge dies mit der gehörigen Portion geriebener, gedämpfter Kartoffeln und tue dazu Mehl und 2 Eier. Aus dieser Masse mache Knödel, welche eine halbe Stunde in siedendem Salzwasser gesotten werden.

(Aus einem handgeschrieben Kochbuch)

Semmelknödel

– oder Semmelnknödeln, wie Karl Valentin bewiesen hat.

500 g Knödelbrot, ¼ l Milch, 1 Zwiebel, 1 Bund Petersilie, 40 g Butter, 3 Eier, Pfeffer, Salz

Überall in München und Umgebung gibt es Knödelbrot zu kaufen – fein geschnittene alte Semmeln. Natürlich kann man auch Semmeln vom Vortag abreiben und in feine Scheiben schneiden. Das Knödelbrot mit der lauwarmen Milch begießen. Zwiebel und Petersilie hacken, in Butter kurz andünsten und mit den Eiern zum Knödelbrot rühren. Würzen, nicht zu heftig durcheinandermischen und ruhen lassen. Mit nassen Händen Knödel formen und etwa 20 Minuten in leise siedendem Salzwasser gar ziehen lassen.

Häufig gibt man in die Knödelmasse auch ein wenig feingehackten, gekochten Schinken.

Reiberdatschi

1 kg rohe, geschälte Kartoffeln, 2 Eßl. Mehl, Pfeffer, Salz, 1 großes oder 2 kleine Eier, Schweineschmalz

Die Kartoffeln schnell reiben und mit den übrigen Zutaten vermengen. In heißem Schweineschmalz auf beiden Seiten goldbraun braten.

Besonders würzig: gehackte Zwiebeln und Majoran zu der Kartoffelmasse geben.

97

Geröstete Knödel

Übriggebliebene Knödel werden in Scheiben geschnitten und wie Kartoffeln geröstet. Geröstete Knödel mit Ei (Petersilie und manchmal auch Wammerl) sind eine volle Speise.

Brat- und Röstkartoffeln

Bratkartoffeln werden in viel Fett in einem Topf auf dem Herd oder im Ofen gebacken. Sie werden aus – je nach Größe der Kartoffeln – halbierten, geviertelten oder geachtelten Kartoffeln bereitet.

Röstkartoffeln werden in wenig Fett in der Pfanne geröstet. Sie werden aus in Scheiben geschnittenen Kartoffeln bereitet.

Beides wird in Bayern vorzugsweise aus gekochten Kartoffeln bereitet. Als Fett kommt eigentlich nur Butterschmalz in Frage, manchmal wird etwas Wammerl mitgebraten.

Bratkartoffeln schmecken ausgezeichnet, wenn sie mit Zwiebeln und Rosmarin zusammen gebacken werden.

Kartoffeln auf Berchtesgadener Art

Die Kartoffeln, wo möglich lange, werden roh abgeschält, gewaschen, in Scheiben geschnitten, in eine Casserolle gethan, mit süßem Rahm übergossen, gesalzen und so langsam, daß sie nicht zerfallen, gekocht. Unterdessen hat man 140 Gramm Butter mit einer ganzen Zwiebel und zwei Eßlöffeln voll Mehl etwas geröstet, dann wird der Rahm abgeseiht, das geröstete Mehl damit angerührt, der noch nöthige Rahm dazu gegossen, dies über dem Feuer zu einer etwas dickfließenden Sauce angekocht, gehörig gesalzen, über die Kartoffeln passirt, noch ein Stück sehr frische Butter dazu gethan, zusammen über dem Feuer geschwungen und heiß angerichtet. Diese Kartoffeln erfordern zu ihrer gelungenen Zubereitung vorzüglich frische Butter und sehr guten Rahm, welcher in so vorzüglicher Güte von den Hochalpen Berchtesgadens gebracht wird, daher man ihnen auch diese Benennung gegeben hat.

(Aus: J. Rottenhöfer: Anweisung in der feinern Kochkunst.)

Schmalzkartoffeln

750 g Kartoffeln, 60 g Schweineschmalz, Salz

Die Kartoffeln schälen, in kleine Würfel schneiden und in einem Topf mit großer Bodenfläche in Schmalz bei guter Hitze anbraten. Nicht wenden. Nach einiger Zeit 1 Schöpflöffel Wasser aufgießen, salzen und die Kartoffeln im gut geschlossenen Topf fertiggaren – sie müssen unten eine feste, braune Kruste haben.

[handschriftliche Notiz: Herrn Willi essen bis ihm's zum Hals rausjommzt.]

Brühkartoffeln

750 g Kartoffeln, 2 Eßl. Suppengrün (siehe Seite 10),
Pfeffer, 2 Schöpflöffel Fleischbrühe, Petersilie

Die Kartoffeln schälen und würfeln, mit Suppengrün, Pfeffer und Fleischbrühe aufsetzen und leise köchelnd garen. Zum Schluß reichlich gehackte Petersilie zufügen.

Petersilienkartoffeln

[handschriftliche Notiz: Wolfgang auch!]

750 g Kartoffeln, 30 g Butter, 1 Eßl. Mehl, ⅛ l
Fleischbrühe, ⅛ l Milch, Pfeffer, Salz, 3 Bund
Petersilie

Die Kartoffeln schälen und in Scheiben schneiden. Die Butter zergehen lassen, mit Mehl eine helle Schwitze bereiten, mit Brühe und Milch aufgießen und würzen. Die Kartoffelscheiben hineingeben und langsam kochend gar werden lassen. Nach 15 Minuten 2 Bund gehackte Petersilie hineinrühren, kurz vor dem Auftragen die restliche Petersilie dazugeben.

Mittenwalder Bah-Nudeln

500 g Mehl, 1 Prise Salz, 2 Eier, 40 g Butter
(Schmalz), 1½ Schöpflöffel Wasser, Sauermilch

Aus Mehl, Salz und Eiern einen Nudelteig bereiten. Nudeln schneiden und trocknen lassen – sie müssen rascheln. Ohne Fett unter ständigem Wenden in nicht zu heißem Ofen »bähen«, bis sie ganz rösch klingen. Kurz vor dem Essen mit Wasser aufgekochte Butter (oder auch Schweineschmalz) darüber gießen. Noch einige Male umwenden und mit »gschteckelter Milch«, also Sauermilch, essen!

Fingernudeln

500 g gekochte Kartoffeln, 80 g Mehl, 1 Ei, Salz, Butterschmalz zum Ausbacken

Die Kartoffeln reiben oder durchpressen, mit Mehl, Ei und Salz verkneten und zeigefingergroße Nudeln daraus rollen. In der Pfanne in viel heißem Butterschmalz auf allen Seiten goldbraun backen. In München zu Krautspeisen beliebt.

Topfennudeln

350 g trockener Topfen (Quark), 1 Ei, 5 g Hefe, soviel Mehl als der Topfen annimmt, Salz

Alles zu einem festen Teig kneten und wie die Fingernudeln formen und ausbacken.

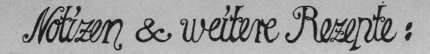

Notizen & weitere Rezepte:

fig. 11 # Mehlspeisen, Schm

Das viehreiche Oberbayern hatte nie Mangel an Butter. So sind viele Spezialitäten entstanden, die mit Butter oder Butterschmalz zubereitet werden (müssen). Wenn in der Vergangenheit versucht wurde, das Butterschmalz durch Palmfett oder Erdnußfett zu ersetzen, so ist das eine nur durch die hohen Butterpreise zu rechtfertigende Sünde. Butterschmalz ist zwar auch heute noch nicht billig, durch die Subventionspolitik aber doch erschwinglich geworden. Damit sind auch die ursprünglichsten oberbayrischen Spezialitäten wieder in alter Qualität zu bereiten. Freilich, diese Gerichte passen in keinen Diätplan. Es sind gehaltvolle Speisen, die an Fasttagen (und nur zu oft auch sonst – früher gab es nicht wie heute das ganze Jahr über Fleisch!) die schwer arbeitende ländliche Bevölkerung ernähren mußte.

Für Pastva am 1.9.

Dampfnudeln

25 g Hefe, ¼ l Milch, 500 g Mehl, 1 Ei, 50 g Butter, 1 Prise Salz, Milch, 20 bis 30 g Butter, nach Belieben etwas Zucker

Zunächst ein Dampferl (Vorteig) machen: die Hefe in der lauwarmen Milch lösen; Mehl in eine vorgewärmte Schüssel geben, in der Mitte eine Vertiefung machen, das Dampferl hineingeben, mit etwas Mehl verrühren und gehen lassen. Nach gut 20 Minuten das Ei, die restliche lauwarme Milch, die weiche Butter und eine Prise Salz zugeben und alles zusammenmengen. Den Teig solange abschlagen bzw. mit dem Mixer solange durcharbeiten, bis er sich von der Schüssel löst und Blasen wirft. Mit einem Tuch zudecken, warm stellen und wieder gehen lassen. Dann gut eigroße Nudeln abstechen, nur leicht kneten bzw. formen und auf ein bemehltes Blech setzen. Erneut zudecken und ¼ Stunde gehen lassen. Einen flachen Topf mit dickem Boden und gut schließendem Deckel (besonders wichtig für ein gutes Gelingen!) etwa 1½ bis 2 cm hoch mit lauwarmer Milch füllen und die zerlassene Butter dazugeben (nach Belieben auch etwas Zucker beimischen). Die Nudeln nebeneinander hineinsetzen, ohne daß sie sich berühren. Nochmals 10 Minuten gehen lassen, zudecken und bei mittlerer Hitze zum Kochen bringen. Erst wei-

104

ter bei mittlerer Hitze, nach 10 Minuten bei schwächerer Hitze 30 Minuten leise kochen lassen. Wenn sich mit singenden Geräuschen am Boden die Kruste zu bilden beginnt, die Elektroplatte ausschalten und mit der Restwärme fertiggaren – beim Gasherd eine Asbestplatte verwenden! Die Nudeln müssen jetzt alle Flüssigkeit aufgesogen haben. Aber nicht hineinschauen, überhaupt darf während des Garens der Deckel auf keinen Fall geöffnet werden, sonst fallen die Nudeln zusammen. Sind die Nudeln fertig, den Deckel vorsichtig abnehmen, damit kein Kondenswasser abtropft, die Nudeln ausstechen und umgekehrt auf einer Platte anrichten.

Sie werden mit Weinsauce, Vanillesauce, Apfelmus oder Zwetschgenkompott gegessen.

Rohrnudeln

Hefeteig wie zu den Dampfnudeln, 100 g Butter

Aus dem fertigen Hefeteig Nudeln wie zu den Dampfnudeln abstechen, in der in einer Reine zerlassenen Butter wenden und nebeneinander hineinsetzen. Etwas gehen lassen und im Ofen bei mittlerer Hitze 30 bis 40 Minuten backen (die Ofentüre nicht öffnen!). Die fertigen Nudeln herausnehmen, ausstechen und warm wie die Dampfnudeln oder kalt mit Puderzucker bestreut essen.

Weichselschmarrn

375 g Mehl, 1 Prise Salz, 4 Eier, ¹/₂ l Milch, 750 g Weichseln (Sauerkirschen), Butterschmalz zum Backen, Zucker

Aus Mehl, Salz, Eiern und Milch einen Pfannkuchenteig herstellen. Die Weichseln waschen, trocknen und entsteinen. Butterschmalz in einer Pfanne erhitzen und eine gut 1 cm dicke Teiglage hineingießen. Etwas anbacken lassen, das vorbereitete Obst darauf verteilen und zugedeckt noch etwas weiterbacken. Dann umwenden, wieder leicht anbacken und mit zwei Gabeln in klei-

105

ne Stücke auseinanderreißen. Unter mehrmaligem Wenden weiterbacken, den fertigen Schmarrn mit reichlich Zucker bestreuen und bei schwacher Hitze einige Minuten zugedeckt ziehen lassen.

Zwetschgenbavesen

Der Name stammt aus dem Italienischen und leitet sich von der »zuppa pavese« ab.

6 Semmeln vom Vortag, 300 g Zwetschgenmus, ¹/₄ l Milch, 2 Eier, Semmelbrösel, Butterschmalz, Zucker, Zimt

Die Semmeln abreiben und in knapp 1 cm dicke Scheiben schneiden. Mit Zwetschgenmus bestreichen und je 2 Scheiben zusammendrücken. Auf beiden Seiten in Milch tauchen und etwas durchziehen lassen, dann mit verschlagenem Ei und Semmelbröseln panieren und in der Pfanne auf beiden Seiten goldgelb backen. Mit einer Zucker-Zimt-Mischung bestreuen und auftragen.
Man kann Bavesen auch mit Fleisch – etwa Hirn oder Bries – füllen und als Vorspeise oder Hauptgericht reichen.

Mayrhofers einladen

Auszogne

500 g Mehl, 1 Prise Salz, ¹/₄ bis ³/₈ l Milch, 20 g Hefe, 1 bis 2 Eier, 50 g Butter, 30 g Zucker, Butterschmalz zum Ausbacken, Zucker

Einen recht weichen Hefeteig bereiten und, ohne den Teig gehen zu lassen, kleine Nudeln abstechen. Mit etwas Butter bestreichen und 20 Minuten gehen lassen. Mit gefetteten Fingern ausziehen, so daß ein dicker Teigrand entsteht, der in der Mitte nur durch eine dünne Teigschicht verbunden ist. In heißes Schmalz legen und einmal mit etwas Schmalz begießen, das aber nicht in die Mitte laufen darf. Wenn sie braun sind, vorsichtig umwenden, damit das geblähte Fenster in der Mitte nicht voll Schmalz läuft, es würde sonst braun werden. Fertigbacken, abtropfen lassen und mit Zucker bestreut anrichten.

Kirchweihnudeln

Hefeteig wie zu den Auszognen, 80 g Sultaninen, etwas abgeriebene Zitronenschale, Butterschmalz zum Ausbacken, Puderzucker

Den Hefeteig bereiten und mit Sultaninen und Zitronenschale vermischen. Mit einem Eßlöffel Nudeln ausstechen und auf einem mit Mehl bestäubten Blech 15 Minuten gehen lassen. Die Oberseite mit einer Schere kreuzweise einschneiden und auf beiden Seiten in Butterschmalz schwimmend ausbacken. Abtropfen lassen und mit Puderzucker bestäuben.

Faschingskrapfen

Hefeteig wie zu den Auszognen, jedoch noch 25 g Butter und 2 Eidotter zufügen, Aprikosenmarmelade, Butterschmalz zum Ausbacken, Puderzucker

Den schon etwas gegangenen Hefeteig nochmal gut abschlagen, damit der Teig schön feinporig wird. Auf einem bemehlten Blech 3 cm dick auswellen und mit einem Messer Kreise ausschneiden. Von der Seite her in die Mitte mit einer Füllspritze etwa ½ Teel. Marmelade geben, den Rand wieder gut verschließen, damit die Marmelade nicht auslaufen kann und nicht zu warm gestellt um die Hälfte gehen lassen. Auf heißes Butterschmalz setzen – sie dürfen nicht ganz zur Hälfte einsinken; tun sie es doch, sind sie nicht genügend gegangen oder das Butterschmalz ist nicht heiß genug. Nach 4 bis 5 Minuten vorsichtig umwenden und auch von der anderen Seite backen. Wieder dürfen sie nicht zu tief einsinken, damit sie in der Mitte ein weißes Rändchen behalten. Abtropfen lassen, dabei aber nicht übereinanderlegen. Am Schluß mit reichlich Puderzucker bestäuben.

Hollerkiacherl, Apfelkiacherl, Kürbiskiacherl

100 g Mehl, 1 Prise Salz, ⅛ Weißwein, 1 Ei, 1 Teel. zerlassene Butter, Buterschmalz zum Ausbacken, Hollerblüten (Holunderblüten) oder dicke Apfelscheiben oder Kürbisblüten, Zucker

107

Das Mehl mit etwas Salz vermischen, mit Weißwein zu einem dicken Teig rühren, das Eigelb und etwas zerlassene Butter dazugeben und zum Schluß das steif geschlagene Eiweiß unterziehen. Die sorgfältig gereinigten Blüten oder die Apfelscheiben durchziehen und in heißem Schmalz schwimmend ausbacken. Abtropfen oder abtrocknen und mit Zucker bestreut anrichten. Nach Belieben auch mit einem Alkohol (Himbeergeist oder Apfelschnaps) übergießen und flambieren.

Schuchsen

Sie sind als niederbayrische Spezialität bekannt, haben aber auch im Chiemgau Tradition.

350 g Roggenmehl, 150 g Weizenmehl, Sauerteig,
1 Prise Salz, etwas Milch, 250 g Topfen

Mit dem Sauerteig ein Dampferl ansetzen und ½ Stunde gehen lassen. Dann aus allen Zutaten einen mittelfesten Teig bereiten und wieder 1 Stunde gehen lassen. Zerteilen und daraus längliche, dünne (schuhartige) Flecken auswellen. Diese wieder etwas gehen lassen und in heißem Fett schwimmend ausbacken; sie müssen goldgelb werden und sich mächtig blähen. Man ißt sie als Beilage oder bezuckert zu Kaffee oder zu einem Kompott.

Roggenmehl in der
Stadt b'sorgen

Schneeballen

375 g Mehl, 1 Prise Salz, 40 g Zucker, etwas Va-
nille, 50 g Butter, 3 Eier, 3 Eßl. saurer Rahm,
2 Eßl. Rum, Butterschmalz zum Ausbacken, Puder-
zucker

Aus den angegebenen Zutaten einen Teig kneten und zu einer Rolle formen. Fingerdicke Scheiben abschneiden, dünn auswellen und mit dem Teigrad rund abschneiden. Die Fläche mehrere Male einradeln, doch einen Rand stehen lassen, der das Ganze zusammenhält. Die so entstandenen Streifen abwechselnd über oder unter einen hölzernen Kochlöffelstiel schieben, schräg in heißes Butterschmalz halten und immer wieder langsam drehen. Hellgelb backen, abtropfen lassen und mit Puderzucker bestreuen.

Strauben

¹/₄ l Milch, 1 Prise Salz, 50 g Butter, 1 Eßl. Zucker,
150 g Mehl, 4 Eier, Butterschmalz zum Ausbacken,
Puderzucker

Die Milch mit Salz, Butter und Zucker aufkochen, vom Feuer nehmen und das gesiebte Mehl auf einen Schwung unter kräftigem Rühren hineinschütten. Auf dem Feuer solange rühren, bis sich der Teig vom Topf löst. Vom Feuer nehmen und die Eier unter weiterem kräftigen Rühren eins nach dem anderen zugeben. Den Teig etwas abkühlen lassen und in eine Teigspritze oder in einen Spritzbeutel füllen. Durch einen kleinen, gezackten Einsatz Ringe auf gebuttertes oder bemehltes Pergamentpapier spritzen und vorsichtig in heißes Butterschmalz gleiten lassen. Auf beiden Seiten schwimmend goldgelb backen und abtropfen lassen. Noch heiß oder erkaltet mit Puderzucker bestäubt essen.

Bsoffne Jungfern

3 Eier, 100 g Zucker, etwas abgeriebene Zitronen-
schale, 70 g Mehl, Butterschmalz zum Ausbacken,
¹/₂ l Rotwein, 40 g Zucker, ¹/₂ Stange Zimt

Die Eidotter mit Zucker und abgeriebener Zitronenschale dick schaumig rühren, dann das gesiebte Mehl und den sehr steif geschlagenen Eierschnee unterheben. Von diesem Teig mit einem Eßlöffel Nockerl abstechen und in heißem Schmalz auf beiden Seiten goldgelb backen. Abtropfen lassen und in einer vorgewärmten Schüssel anrichten. Den mit einem Stück Zimt (wieder herausnehmen) und etwas Zucker erhitzten Rotwein darübergießen und sofort auftragen.

109

Arme Ritter

*300 g altes Weißbrot (oder Semmeln), 3 Eier, 40 g
Zucker, 1 Prise Salz, abgeriebene Zitronenschale,
³/₈ l Milch, Semmelbrösel, Butterschmalz zum Ausbacken, Zucker und Zimt*

Das Weißbrot (oder abgeriebene Semmeln) in 1 cm dicke Scheiben schneiden und in einer Schüssel ausbreiten. Eidotter, Zuk-
ker, Salz und geriebene Zitronenschale mit der Milch verkleppern und über die Brotscheiben gießen. Gut durchziehen lassen.
Vorsichtig herausnehmen, in mit etwas Wasser verrührtem Eiweiß und Semmelbröseln panieren und in heißem Schmalz
schwimmend auf beiden Seiten goldbraun backen. Abtropfen
lassen, in einer Mischung aus Zucker und Zimt wenden und
sofort auftragen.

Scheiterhaufen

*7 alte Semmeln, ³/₄ l Milch, 1 Prise Salz, 60 g
Zucker, 4 Eier, 750 g Obst: Äpfel oder Kirschen
oder Zwetschgen, 40 g Butter*

Die Semmeln in Scheiben schneiden und mit einer gut verrührten Mischung aus Milch, Salz, Zucker und Eiern übergießen.
Ziehen lassen und inzwischen das Obst vorbereiten: Äpfel schälen und in Scheiben schneiden, Kirschen oder Zwetschgen entsteinen. In eine gebutterte Auflaufform in Schichten oder ge-
mischt die Semmeln und das Obst einfüllen (zu Äpfeln kann
man auch 50 g eingeweichte Rosinen geben), den Rest der Ein-
weichmilch darübergießen, mit Butterflocken belegen und bei
mittlerer Hitze etwa 40 Minuten backen.

Notizen & weitere Rezepte :

Torten und Strudel

Ingrid fragen!
Die kann's!

Münchner Kartoffeltorte

500 g gekochte Kartoffeln, 125 g geriebene Mandeln, 300 g Zucker, 1 Messerspitze Nelkenpulver, 1 Prise Zimt, etwas abgeriebene Zitronenschale, 2 Eidotter, 2 Eßl. Rahm, 375 g Ribiseln (rote Johannisbeeren), 1 ganzes Ei

Die Kartoffeln reiben und mit den Mandeln, 125 g Zucker, den Gewürzen, 2 Eidottern und Rahm zu einem Teig verarbeiten. Eine mit Butter ausgestrichene Springform mit ²/₃ des Teiges ausschlagen, die mit 125 g Zucker vermischten Ribiseln darauf verteilen und gitterartig mit Streifen aus dem übrigen Teig belegen. Mit dem verrührten Ei einstreichen und bei mittlerer Hitze goldgelb backen. Erkalten lassen und mit Zucker bestreut zu Tisch geben.

Prinzregententorte

Für den Teig: 250 g Butter, 250 g Zucker, 1 Vanilleschote, 4 Eier, 250 g Mehl, etwas Backpulver
Für die Fülle: 250 g Butter, 175 g Puderzucker, 3 Eidotter, 100 g bittere Schokolade
Etwas Butter, Mehl, Aprikosenmarmelade, 250 g Schokoladenglasur (Couverture)

Für den Teig die Butter mit ³/₄ des Zuckers schaumig rühren, mit dem Mark einer Vanilleschote aromatisieren und nach und nach 2 Eidotter und 2 ganze Eier einrühren. Dann das mit dem Backpulver vermischte Mehl portionsweise einarbeiten. Zuletzt den mit dem restlichen Zucker und dem verbleibenden Eiweiß sehr steif geschlagenen Schnee unterziehen. Aus dem Teig nacheinander 7 oder 8 Blätter herstellen: auf eine gebutterte und bemehlte Springform jeweils die entsprechende Masse verteilen und bei mittlerer Hitze (185°) in etwa 8 Minuten goldgelb backen. Noch heiß aus der Springform nehmen und auf einem Rost erkalten lassen. Zur Fülle die Butter sehr schaumig rühren, dann den gesiebten Puderzucker und die Eidotter abwechselnd unterrühren, damit die Masse sehr schaumig wird. Zum Schluß die aufgeweichte, aber nicht warme Schokolade nach und nach dazugeben. Die Masse auf die erkalteten Tortenblätter streichen und diese aufeinandersetzen. Das oberste Blatt mit Aprikosenmarmelade bestreichen, etwas antrocknen lassen und die ganze Torte mit Schokoladenglasur überziehen.

Kletzenbrot

– eine Leckerei zu Nikolaus und Advent –

200 g Kletzen (getrocknete Birnen), 150 g getrocknete Zwetschgen, je 100 g getrocknete Feigen, Aprikosen und Äpfel, 150 g Rosinen, 4 Eßl. Kirschwasser, je 50 g Orangeat und Zitronat, 75 g geschälte Mandeln, 50 g Walnüsse, 100 g Haselnüsse, 200 g Zucker, 1 Päckchen Lebkuchengewürz (Anis, Zimt, Neugewürz, Nelken), 1,5 kg Brotteig vom Bäcker, Mehl

Die getrockneten Früchte mit warmem Wasser gut bedecken und über Nacht einweichen. Die Kletzen entstielen, die Zwetschgen entkernen. Alles durch den Fleischwolf drehen und mit der Einweichbrühe, von der man nur eine Tasse zurückbehält, vermischen. Das Kirschwasser zufügen. Orangeat, Zitronat, Mandeln und Nüsse grob hacken und zu den Früchten geben. Zuckern und würzen. Alles mit 1 kg Brotteig verarbeiten und mehrere kleinere oder größere Laibe daraus formen. Den restlichen Brotteig zu länglichen Fladen dünn auswellen, mit Kletzenbrühe bestreichen, die Laibe darauflegen und in den Teig einschlagen. Auf ein bemehltes Blech legen, nach Belieben mit einer Gabel oder Spicknadel einstechen und mit Kletzenbrühe bestreichen. Gehen lassen und bei gut mittlerer Hitze (200°) je nach Größe der Laibe 1 bis 1½ Stunden backen. Wieder mit Kletzenbrühe bestreichen und jeden Laib mit einem Kreuz verzieren: mit Zuckerguß oder Eiweiß geschälte Mandeln, Haselnüsse, Kletzenstreifen und Rosinen aufkleben.

Keiner mal ausprobieren!

115

Münchner Apfelstrudel

300 g Mehl, 1/8 l Wasser, 1 Eßl. Öl, 2 Eier, 1 Prise
Salz, 750 g Äpfel, 1/8 l süßer Rahm, 1/8 l saurer
Rahm, 40 g Sultaninen, 100 g Butter, 100 g Zucker,
1/4 l Milch

Aus Mehl, lauwarmem Wasser, Öl, Eiern und Salz einen Teig kneten. Etwas ruhen lassen, in zwei oder drei Teile schneiden und jedes Teil auf einem bemehlten Tuch auswellen und mit den Fingern hauchdünn ausziehen. Die ausgezogenen Teigflächen mit der Hälfte der zerlassenen Butter und dem vermischten Rahm bestreichen und mit den fein geschnittenen, mit eingeweichten Sultaninen und Zucker vermischten Äpfeln bestreuen. Die Strudel durch Anheben des Tuches zusammenrollen und in eine große, gebutterte Bratreine gleiten lassen. Mit der Milch begießen und mit zerlassener Butter bestreichen. Bei mittlerer Hitze im Ofen in etwa 50 Minuten goldbraun backen.

Topfenstrudel   *Dazu Vanillesauce.*

Teig wie für Apfelstrudel, 100 g Butter, 500 g
Topfen (Quark), 2 Eier, 80 g eingeweichte Sulta-
ninen, 80 g Zucker, 1/8 l süßer Rahm, 1/8 l saurer
Rahm, 1/4 l Milch

3/4 der Butter schaumig rühren, Topfen, Eier, Sultaninen, Zucker und Rahm zufügen und alles zusammen glatt und schaumig rühren. Auf den wie oben beschrieben ausgezogenen Strudelteig streichen, locker zusammenrollen und in die gebutterte Bratreine gleiten lassen. Mit Milch begießen, mit Zucker bestreichen und backen. Den fertigen Strudel etwas ruhen lassen, damit er beim Anschneiden nicht ausläuft.

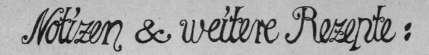

Notizen & weitere Rezepte:

Desserts und Eingemachtes

Die bayrische Creme, die »Crème à la bavaroise«, ist eine der Höhepunkte nicht nur der bayrischen, sondern auch der internationalen Küche. Man bereitet sie mit allen möglichen Aromen; besonders beliebt ist eine in Schichten nacheinander eingefüllt Bavaroise, die aus Schokolade, Vanille und Erdbeeren besteht.

Bayrische Creme mit Vanille   *Gut!*

⁵/₈ l süßer Rahm, 1 ¹/₂ Päckchen farblose Gelatine, 200 g Zucker, 6 Eidotter, 1 Vanilleschote, etwas geschmackloses Öl (oder Mandelöl)

¹/₈ l Rahm mit dem Mark einer Vanilleschote kurz aufkochen und abseihen. 200 g Zucker mit 6 Eidottern dick und weiß schaumig schlagen und unter ständigem Rühren mit dem Vanillerrahm aufgießen, unter weiterem Schlagen erhitzen und zu einer dicklichen Creme abrühren. Die nach Vorschrift gequollene Gelatine darin auflösen. Im kalten Wasserbad abkühlen lassen, dabei immer wieder umrühren. Inzwischen den restlichen ¹/₂ l Rahm sehr steif schlagen. Den Rahm in dem Moment schnell in die Creme einziehen, in dem diese zu erstarren beginnt. Die Creme muß locker und luftig bleiben. In eine sehr dünn mit Öl ausgestrichene Creme- oder Puddingform füllen und im Kühlschrank vollständig erstarren lassen. Stürzen und kalt servieren.

Auf dieselbe Art kann man bayrische Creme mit Orangenblütenwasser, Kaffee, Schokolade, Haselnüssen oder Likören bereiten.

Bayrische Creme mit Erdbeeren

750 g Erdbeeren, 1 Eßl. Zitronensaft, 175 bis 200 g Zucker, 1 ¹/₂ Päckchen Gelatine, ¹/₂ l süßer Rahm

Die Erdbeeren (am besten Walderdbeeren) pürieren und durch ein Sieb streichen. Mit Zitronensaft und Zucker verrühren und die nach Vorschrift in heißem Wasser aufgelöste Gelatine hineinrühren. Wenn das Fruchtmark zu stocken beginnt, den steif geschlagenen Rahm unterziehen, dann wie oben verfahren.

Auf dieselbe Art bereitet man Bavaroisen mit Himbeeren, Heidelbeeren, roten und schwarzen Johannisbeeren, Brombeeren, Kirschen und Sauerkirschen. Je nach Säuregrad der Früchte läßt man die Zitrone weg und nimmt mehr oder weniger Zucker. Besonders gut schmecken Fruchtbavaroisen, wenn sie im Tiefkühlfach vereist werden; man kann sie auch mit etwas Himbeergeist oder Kirschwasser aromatisieren.

Geeiste Himbeeren

500 g Himbeeren, 150 g Puderzucker

Die Himbeeren sogfältig verlesen und mit einer Gabel zerdrücken. Mit Puderzucker bestäuben und nochmals etwas umwenden. Nicht zu dick auf flache Teller verteilen und tieffrieren.

Hagebuttenkompott

1 kg frische Hagebutten, 2 Eßl. Wasser, 3 Eßl. Weißwein, 175 g Zucker

Von den Hagebutten Stiel und Blüten abschneiden und die Kerne herausdrücken. Im Wasser und Wein mit Zucker weichkochen, mit dem Schaumlöffel herausnehmen und den Saft noch etwas einkochen. Beides vermischen und Vanillepudding damit übergießen.

Gschteckelte Milch mit Früchten

3/4 l gschteckelte Milch (Sauermilch), 500 g Früchte (Blaubeeren, Erdbeeren, Himbeeren, Brombeeren, Aprikosen . . .), Zucker

Die Beeren verlesen und, wenn nötig, waschen, nach Belieben zuckern und mit gschteckelter Milch begießen.

Gute gschteckelte Milch erhält man nur aus frischer Kuhmilch: Sie wird in Schalen aufs Fensterbrett gestellt, nach einem Tag wird der Rahm abgenommen (daraus gewinnt man dann nach einigen Tagen den nicht mehr süßen, aber auch noch nicht sauren Rahm, der so herrlich schmeckt und der für die echte oberbayrische Küche eigentlich unbedingt erforderlich ist – der Städter kann davon nur träumen). Je nach Temperatur und Jahreszeit ist die Milch nach einigen Tagen fertig.

Rhabarberspeise

500 g Rhabarber (geputzt und geschält), etwas Zitronenschale, Zucker, 1 Teel. Maizena, 2 Eier

Den Rhabarber in Stückchen schneiden und in sehr wenig Wasser mit einem Stück Zitronenschale und Zucker nach Geschmack und Bedarf weichkochen. Durch ein Sieb streichen und etwas abkühlen lassen. Maizena mit Wasser verschütteln und mit einem Eidotter in die Masse rühren. Unter ständigem Schlagen erhitzen, kurz aufkochen und recht locker schlagen. Völlig abkühlen lassen und in den Kühlschrank stellen. Dann erst den fest geschlagenen Schnee des ersten und ein weiteres schaumig gerührtes Ei unterheben. Wieder kühl stellen.

Holler sammeln

Hollermus

750 g Hollerbeeren (Holunder), 250 g Zwetschgen, 2 Birnen, 1 Eßl. Zitronensaft, 200 g Zucker, etwas Zimt, nach Belieben Speisestärke oder Puddingpulver

Die Hollerbeeren (man kann auch den wilden, roten Holler nehmen) waschen und abzupfen. Die Zwetschgen entsteinen, die Birnen schälen, das Gehäuse entfernen und schnitzeln. Das Obst mit etwas Zitronensaft, Zucker, Zimt und ein wenig Wasser aufkochen und bei schwacher Hitze ½ Stunde ziehen lassen. Nach Belieben mit etwas Speisestärke oder Puddingpulver binden.

Zwetschgenmus

1 kg Zwetschgen, 750 g Zucker

Die reifen Zwetschgen mit kochendem Wasser begießen, damit

die Haut aufspringt. Abschrecken, schälen und entkernen. Das Zwetschgenfleisch mit Zucker zerstampfen, ziehen lassen, nochmal gut durchrühren. In mit kochendem Wasser ausgespülte Gläser füllen und zubinden.

Stachelbeerbrot

1,5 kg rote Stachelbeeren, 400 g Zucker

Die geputzten Stachelbeeren in eine Auflaufform geben und in mäßig heißem Ofen weich werden lassen. Durch ein Sieb streichen, den Zucker dazugeben und unter ständigem Rühren den Brei $\frac{1}{2}$ Stunde kochen lassen. Dann in flache Teller oder auf ein Blech gießen und im lauwarmen Ofen trocknen (früher war das in den großen Dörröhren neben der Feuerstelle sehr einfach). Zurechtschneiden und das Brot (auch Käs genannt) in Seidenpapier einwickeln und aufbewahren.

Solcherlei Brot wurde früher aus vielen Früchten bereitet — weithin bekannt ist noch das Quittenbrot. Wenn man will, so kann man in ihnen Vorläufer der Gummibärchen sehen.

fig · 14

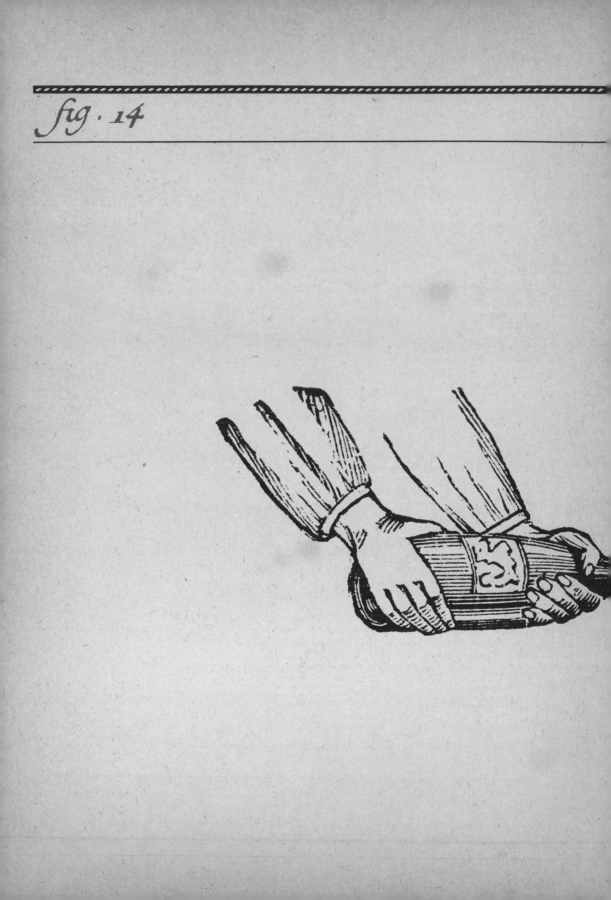

Patriarchalisch herrscht das Bier über den Durst der Bayern und erlaubt noch nicht einmal einen kleinen Schnaps zwischendurch! Der einzige landesgewachsene Schnaps ist der würzige Enzian. Ein Stamperl kann nach einem schweren Essen schon dem Wohlbefinden zuträglich sein.

Dafür aber gibt es viele Liköre! Wer kennt sie nicht, die kräuterreichen Klosterliköre? Ihre Rezepturen sind sorgsam gehütete Geheimnisse, doch wurden oft einfachere Likörc im Hause hergestellt.

Hört sich ganz gut on!

Bierlikör

*2 l dunkles Starkbier (Bockbier), 1 kg Zucker,
2 Vanillestangen, 1 kleines Stückchen Ingwerwurzel,
die Schale von ½ Zitrone, 1¼ l reiner Alkohol*

Das Bier zum Kochen bringen, den Zucker darin verrühren und die halbierten Vanillestangen, den Ingwer und die dünn abgeschälte Zitronenschale ¼ Stunde mitkochen. Abkühlen lassen, mit dem Alkohol verrühren, durch ein Tuch seihen und in Flaschen abfüllen. Vor Gebrauch ½ Jahr ruhen lassen.

Weichsellikör

In ein Glas füllt man sauber gewaschene, gut reife Weichseln (Sauerkirschen) und rüttelt sie möglichst dicht zusammen. Dann füllt man darüber Zucker, den man ebenfalls einschüttelt, er soll die Kirschen eben bedecken. Nun verschließt man das Glas und stellt es in die Sonne. Wenn der Zucker geschmolzen ist, füllt man neuen Zucker nach, bis alle Weichseln gut im Saft schwimmen. Im Herbst stellt man das Glas in den Keller, ohne es zu öffnen. Zu Weihnachten ist der Likör fertig, die Früchte können noch einen Pudding begleiten.

Hollersekt

Noch'n wie früher

3 kg Hollerbeeren, 8 l Wasser, 1,5 kg Zucker, 3 Zitronen, 1 kleine Ingwerwurzel, einige Pimentkörner

Die abgezupften Hollerbeeren zerdrücken und mit dem Wasser vermischen, den Zucker darin verrühren und die Zitronen in dünnen Scheiben hineinschneiden. Mit Ingwer und Koriander aromatisieren und drei Tage im Keller stehen lassen. Dabei immer wieder umrühren. Dann durch ein Tuch seihen und in gut ausgespülte Sektflaschen füllen. Verkorken und mit Draht fest verschließen.

Da der Saft in der Flasche gärt, entsteht ein großer Druck, der zu dünnwandige Flaschen explodieren läßt und nicht befestigte Korken heraussprengt. Hollersekt muß kühl gelagert werden und wird möglichst eiskalt getrunken.

Maiwein

Zu dieser Jahreszeit steigen auch passionierte Biertrinker um und entdecken ihre eingeborene Liebe zu den Kräutern.

4 Flaschen nicht zu süßer Weißwein, 2 Bund frischer Waldmeister, 1 Flasche trockener Sekt

Den gut gekühlten Wein in ein großes Glas oder eine Bowlenkanne gießen und zwei Bund Waldmeister an einer Schnur nur mit den Blattspitzen hineinhängen. Nach einer guten halben Stunde herausnehmen und mit Sekt aufgießen. In München bekommt man Waldmeister im Mai überall gebündelt zu kaufen, auf dem Land holt man ihn aus dem nächsten Waldstück. Er sollte immer ganz frisch sein, denn verwelkter Waldmeister kann schädliche Stoffe enthalten. Maiwein wird nicht gezuckert – dagegen läßt man manchmal den Sekt weg oder ersetzt ihn auch durch sauren Sprudel.

Inhaltsverzeichnis

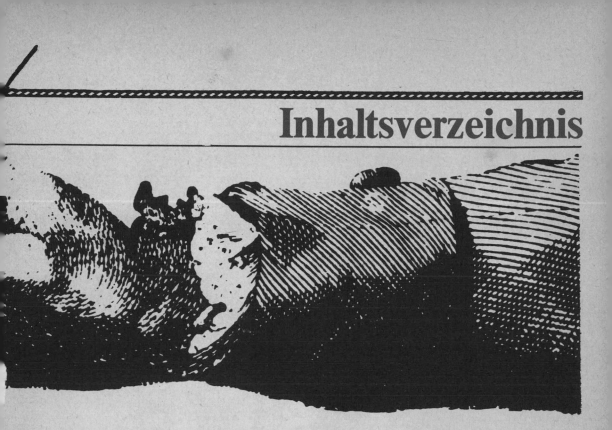

o Ordnung, Fleiß und Sparsamkeit
  Im Hause stets regieren
  Und Liebe, Sorgfalt, Freundlichkeit
Das Thun der Hausfrau zieren:
Da sind auch Freud' und Glück zu Haus,
Sie sitzen mit bei Tische;
Und Frohsinn gehet ein und aus
Und Freudigkeit und Frische.

I Suppen

II Brotzeit

III Innereien

IV Fische

V Fleischgerichte

VI Geflügel und Wild

X Beilagen

XI Mehlspeisen

XII Torten

XIII Desserts

XIV Getränke

Wenn Sie sich für weitere Bücher aus unserem Verlag interessieren, schreiben Sie uns oder fragen Sie Ihren Buchhändler. Nachdem Sie dieses Buch kennengelernt haben, werden Ihnen sicher auch unsere anderen Titel zusagen, wobei Sie diejenigen, die wie das vorliegende Buch auch zur Landschaftsserie gehören, alle zu dem gleichen Preis erwerben können.
Eine kleine Überraschung haben wir noch für Sie. Sie können bei uns eine Schürze aus dem gleichen Umschlagstoff dieses Buches, aber auch aller anderen Landschafts-Titel unseres Verlages bestellen, besonders zum Verschenken und Selberschenken, zum Preis von DM 18,–. Sie wird Ihnen bestimmt gefallen!

In unserem Verlag sind erschienen:

Das Brotbackbuch	Das Kochbuch aus Wien
Das Kochbuch aus Hamburg	Das Kochbuch aus Tirol
Das Kochbuch vom Oberrhein	Das Kochbuch aus Kärnten
Das Kochbuch aus Berlin	
Das Kochbuch aus Westfalen	Das Kochbuch aus dem Bernbiet
Das Kochbuch aus Franken	Das Kochbuch aus Zürich
Das Kochbuch aus Bremen	Das Kochbuch aus der Innerschweiz
Das Kochbuch aus dem Münsterland	Das Kochbuch aus Basel
Das Kochbuch aus Hessen	
Das Kochbuch aus Thüringen,	Das Kochbuch aus dem Elsaß
Sachsen und Schlesien	(franz./deutsch)
Das Kochbuch aus Mecklenburg,	Das Kochbuch aus Schottland
Pommern und Ostpreußen	(engl./deutsch)
Das Kochbuch aus der Pfalz	Das Kochbuch aus Lyon
Das Kochbuch aus Schleswig-Holstein	(franz./deutsch)
Das Kochbuch aus dem Rheinland	
Das Kochbuch aus Schwaben	
Das Kochbuch aus dem Ruhrgebiet	In Vorbereitung:
Das Kochbuch aus Niedersachsen	Das Kochbuch aus Graubünden
Das Kochbuch aus Ostfriesland	Das Kochbuch aus der Westschweiz
Das Kochbuch aus dem Saarland	Das Kochbuch aus dem Tessin
Das Kochbuch aus dem Schwarzwald	(italienisch/deutsch)